LE DOCUMENT VIDEO

dans la classe de langues

Thierry LANCIEN

CLE INTERNATIONAL

INTRODUCTION

Présente dans le monde des loisirs, du travail et de l'école, la **vidéo est en voie d'occuper l'une des premières places dans notre univers audiovisuel**. La fortune du mot que l'on retrouve désormais partout, fait quelquefois oublier les réalités qu'il désigne. Rappelons donc que la vidéo est un signal électronique (découvert au début du siècle), qui permet de transmettre des images par l'intermédiaire des émetteurs de télévision, des satellites et des câbles. C'est, d'autre part, la possibilité de réaliser des documents grâce à une caméra et d'enregistrer à l'aide d'un magnétoscope et sur un support magnétique (la vidéo cassette) des images mobiles venues de la télévision ou du cinéma.

Nous laisserons de côté l'aspect transmission pour constater que, si la réalisation vidéo permet de nouveaux modes d'expression artistique, de nouveaux systèmes de communication au sein de l'entreprise et de l'école, il semble néanmoins que ce soit la « vidéo enregistrement-lecture » qui occupe la place prédominante.

On se souvient sans doute de l'émotion qu'avait suscitée chez les Français, la décision, prise par le gouvernement en 1982, de bloquer les importations de magnétoscopes.

L'importance accordée à cette affaire et le fait qu'en France, le parc des magnétoscopes double chaque année, révèlent bien l'engouement du public pour la vidéo.

Les raisons technologiques de ce succès sont évidentes. Le magnétoscope et la cassette rendent facile l'enregistrement et permettent aisément la duplication, la retransmission et le stockage des documents.

D'autre part, « la vidéo enregistrement-lecture » crée une nouvelle relation au cinéma et à la télévision.

Grâce à la vente et à la location de films, les « nouveaux » spectateurs ne sont plus tributaires des problèmes de diffusion et de programmation. En ce qui concerne la télévision, la vidéo permet de regarder le petit écran quand on veut et comme on veut.

Ces nouvelles possibilités de **choix**, de **sélection**, de **revisionnement** génèrent de nouvelles pratiques audiovisuelles qui concernent directement le pédagogue.

Après différents rendez-vous manqués entre l'école et l'image électronique (échec partiel des programmes pédagogiques, faillite des circuits fermés de télévision dans les établissements) [1], la vidéo, pour les raisons que nous venons d'évoquer, semble engendrer un nouveau rapport au monde médiatique, cinématographique et télévisuel.

— Sans le magnétoscope, une vaste opération comme « Jeune Téléspectateur actif » [2], qui a permis aux élèves de réfléchir sur la conception et la réception du message télévisuel, n'aurait pas été possible.

— Sans le magnétoscope, la mise en place, en classe de seconde, d'une option « Cinéma et langages audiovisuels » n'aurait pas non plus été possible.

— Sans le magnétoscope, enfin, un certain nombre d'enseignants de français n'auraient pas pu faire de la télévision un nouvel objet d'étude basé sur **une autre relation à l'image** [3].

La vidéo et les langues

En ce qui concerne plus précisément l'enseignement des langues, la vidéo figure désormais souvent dans les descriptifs de cours, de méthodes et de stages et se présente auréolée d'avantages évidents : forte motivation des élèves à l'égard de l'image mobile, richesse des documents sur le plan situationnel et civilisationnel.

Nous reviendrons sur ces avantages pour en souligner les points forts et, au besoin, les limites (chap. 1).

Cela étant, il ne suffit pas d'être convaincu de la richesse potentielle des **documents vidéo,** pour en faire de **nouveaux auxiliaires pédagogiques.** Or, jusqu'à maintenant, l'engouement pédagogique pour la vidéo qui fait écho à celui du grand public évoqué précédemment, n'a pas été accompagné de nombreuses études pédagogiques.

Contenu et plan de cet ouvrage

Notre objectif est d'**aider l'enseignant** en général, et celui de langues en particulier, à **utiliser des documents vidéo.** (Par documents vidéo [DV] nous entendons tous les documents, qu'ils soient d'origine cinématographique ou télévisuelle, qui peuvent être projetés en classe grâce à un magnétoscope.)

☐ Dans le **chapitre 1 « UN NOUVEL AUXILIAIRE PÉDAGOGIQUE »,** nous montrerons d'abord ce que le document vidéo apporte à l'enseignement des langues (enseignement de la langue et de la civilisation) par sa variété et son authenticité. La variété des documents induira la variété des activités pédagogiques qu'il va favoriser si l'enseignant sait utiliser les ressources spécifiques de chaque document.

☐ Pour cela, nous proposons des critères d'analyse et de choix des DV dans **le chapitre 2 « ANALYSER POUR CHOISIR »,** qui contient des outils d'analyse et non une réflexion théorique.

Ces outils ne prétendent pas être exhaustifs. Nous avons volontairement laissé de côté des problèmes relevant de la perception de l'image mobile ou de sa mémorisation, en estimant que l'on sait encore trop peu de choses dans ce domaine (ce n'est pas d'ailleurs l'objet du livre).

☐ L'enseignant trouvera ensuite **un ensemble de fiches** d'exploitation de DV, dans le **chapitre 3 « ACTIVITÉS PÉDAGOGIQUES ».** Ces fiches sont classées sous quatre grandes rubriques :
— **attention visuelle,**
— **attention visuelle et sonore,**
— **attention au non-verbal,**
— **productions orales et écrites** [*]

Comme toute classification, celle-ci peut avoir quelque chose de rigide. Il est évident, par exemple, que l'attention visuelle est transversale à toutes les activités ou encore que la production orale interviendra à tout moment. Mais ces rubriques rendent compte des compétences qui sont en priorité convoquées pour telle activité.

---

[*] Nous ne proposons par contre que très peu d'activités d'analyse socioculturelle. Non qu'elles soient moins intéressantes. Mais elles sont, en général, plus familières à l'enseignant initié à l'utilisation du document authentique qu'il soit imprimé, sonore ou filmique.

Il faut souligner aussi que ces activités, si elles visent avant tout un enrichissement linguistique (sur le plan de la compréhension et de l'expression) prétendent aussi aider l'élève à analyser et mieux comprendre le langage vidéo cinématographique.

S'il n'est pas non plus explicitement question dans cet ouvrage de réalisation vidéo, on pourra néanmoins constater que certaines fiches (ainsi que le chapitre 2) peuvent préparer à la réalisation.

Chaque fiche présente à travers différentes sections : Descriptif/Documents utilisables/Contenu pédagogique/Préparation/Déroulement, *une activité qui a toujours été pratiquée en classe ou dans des stages de formation.*

Le problème du niveau n'est pas évoqué pour chaque fiche car très souvent ce sera plus la nature du document exploité que l'activité elle-même qui permettra de savoir quel est le niveau attendu des élèves. On constatera néanmoins que les activités vont du plus simple au plus complexe à travers les quatre rubriques.

Certaines fiches sont accompagnées d'un **« exemple »** qui ne doit pourtant pas être trop considéré comme « exemplaire », bien qu'il ait été « testé » en classe.

Il ne s'agit en effet que d'un « prélèvement » réalisé dans l'immense réserve des documents vidéo où l'enseignant ira choisir à son gré.

Il en va de même des **photos** qui ne sont là que pour illustrer, souvent imparfaitement, des propos qui souffrent de parler de l'image mobile alors qu'elle est absente.

☐ Dans le **quatrième chapitre,** on trouvera des éléments de description et d'analyse de documents spécifiques : **LE JOURNAL TÉLÉVISÉ, LA PUBLICITÉ, L'INTERVIEW.** Ces documents peuvent donner lieu à des activités qui sont présentées dans les fiches organisées comme celles de la troisième partie.

Notons que cette spécificité, celle des documents comme celle des activités, n'est que partielle. Le journal télévisé, par exemple, présente certaines caractéristiques qui permettent de privilégier une approche pédagogique plutôt qu'une autre. Mais il partage aussi certaines caractéristiques avec d'autres documents. Ce qui explique qu'on pourra lui appliquer des démarches présentées dans le chapitre 3. Il en sera de même pour la publicité et l'interview.

☐ Enfin, le **chapitre 5 « INFORMATIONS TECHNIQUES »** propose certains conseils sur les matériels et leur maniement, tandis que le **chapitre 6 « GLOSSAIRE »** présente une terminologie relative à l'image mobile.

Références citées :

1. Lacan (J.-F.), « Petit glossaire de la vidéo », *Le Monde,* 22 août 1982.
2. « Formation du jeune téléspectateur actif », *Les dossiers du petit écran,* C.N.D.P., Paris, 1981.
3. Doumazane (F.), « L'école, les enseignants et la TV », *Pratiques n° 37,* 1983. « La TV à l'école », page 6.

UN NOUVEL AUXILIAIRE PÉDAGOGIQUE

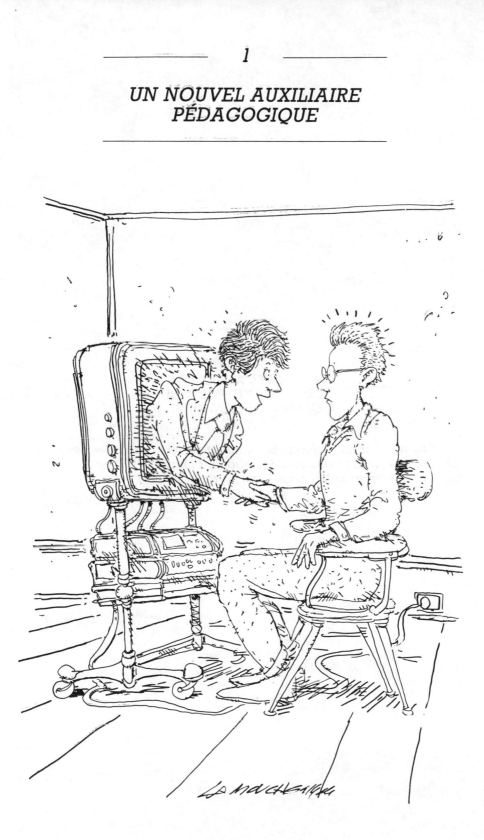

1

UN NOUVEL AUXILIAIRE PÉDAGOGIQUE POUR LA CLASSE DE LANGUES

1.1. Les auxiliaires techniques : magnétoscopes et vidéocassettes
1.2. Élève et vidéo : une autre relation à l'image
1.3. Le document vidéo sous le signe de la variété

Si l'on en juge par les demandes d'information, de formation et de documents, qui ne cessent de croître, on peut penser que la vidéo exerce à l'heure actuelle **un fort pouvoir d'attraction auprès des enseignants de langues.**

Il ne s'agit pas pour autant d'une adhésion totale.
Comme l'informatique, la vidéo, cet autre fleuron des nouvelles technologies, fascine mais peut aussi laisser sceptique ou rendre critique.
Nombreux sont, en effet, ceux qui pensent qu'il ne s'agit que d'une mode qui ne trouvera pas sa légitimité pédagogique.
Les détracteurs invoquent divers arguments.
— Des **arguments techniques** tout d'abord. La vidéo serait une « quincaillerie » [1] bien lourde pour un rendement hypothétique.
— Des **arguments pédagogiques** ensuite. L'élève serait passif face à l'image mobile et dérouté par la profusion d'images.
— D'autre part, les documents vidéo seraient guettés par la monotonie et ne donneraient lieu qu'à une gamme très limitée d'exploitations pédagogiques.
Sans tomber dans le fétichisme vidéo, il convient de répondre à ces questions et à ces craintes en examinant les avantages qui militent en faveur de l'introduction dans la classe de langues de ce nouveau support.

Trois avantages principaux retiendront notre attention :
— la richesse et la souplesse d'utilisation offertes par les techniques nouvelles,
— le rapport de l'élève à la vidéo,
— la variété des documents et de leurs exploitations pédagogiques.

1.1. Les auxiliaires techniques (magnétoscopes et vidéocassettes)

Depuis quelques années, les matériels n'ont cessé d'évoluer et, aujourd'hui, les magnétoscopes dits « domestiques » (V. chap. 5) qui sont de moins en moins coûteux et de plus en plus perfectionnés, modifient totalement l'accès aux images mobiles.
Grâce à eux, aux possibilités d'enregistrement et de lecture qu'ils offrent avec les vidéocassettes, sont levés deux obstacles à l'utilisation des programmes de télévision en classe de langues.
Tout d'abord, l'enseignement n'est désormais plus tributaire des heures de programmation.
L'émission peut être enregistrée pour être exploitée à n'importe quel moment. Cette souplesse est d'autant plus importante que de nombreux pays européens reçoivent ou vont recevoir par satellite ou par câble des télévisions étrangères. Une extraordinaire circulation des langues va ainsi se mettre en place en Europe.
D'autre part, des enseignants travaillant dans un pays qui ne reçoit pas la télévision de la langue enseignée peuvent désormais, grâce à la vidéocassette (plus disponible, plus facile à envoyer, à stocker que la pellicule cinématographique), faire entrer dans leur classe le médium télévision.

Il en va de même pour d'autres documents, les films de fiction, les films spécialisés, les documents authentiques et didactiques qui peuvent désormais circuler presque aussi facilement qu'une cassette audio.

Cependant, **deux problèmes importants** demeurent.

— Le premier est celui de la **couleur** et du **format.** Il ne s'agit pas d'un problème insurmontable puisqu'un document peut être recopié sur un autre format et dans un autre standard. Cela étant, ces différences risquent de gêner les échanges de documents entre établissements et centres de langues.

— Le second problème est celui de l'accès légal aux documents. Toute utilisation publique d'une vidéocassette louée ou enregistrée à partir de la télévision est, en France, interdite.

Il serait souhaitable que cette législation soit assouplie, en ce qui concerne l'utilisation à des fins pédagogiques.

[Il faut savoir que le problème ne se pose évidemment pas pour des documents prêtés par des services publics, des entreprises, ou vendues par des maisons d'édition, des centres de production pédagogiques ou des chaînes de télévision (V. *Carnet d'adresses*).]

Si le magnétoscope et la vidéocassette engendrent une nouvelle « mémoire audiovisuelle » et deviennent en quelque sorte « le médium des médias »[2], ils permettent également **une autre relation à l'image** enregistrée, relation qui nous intéresse directement sur le plan pédagogique.

Le magnétoscope qui rend possible le montage de documents, l'arrêt sur image, le retour en arrière, le ralenti (V. chap. 5), permet donc d'arracher l'image mobile à ce flux cinématographique ou télévisuel, « *toujours porté en avant* »[3] et qui déroutait enseignants et élèves.

Nous allons voir tout de suite l'un des premiers avantages de cette possibilité offerte par le magnétoscope.

1.2. *Élève et vidéo : une autre relation à l'image*

Notre propos n'est pas ici de traiter des conditions psychologiques, voire psychanalytiques, de la perception des images mobiles. Il y a là un vaste champ d'étude (défriché entre autres par E. Morin et Ch. Metz) qui, appliqué plus précisément à l'utilisation pédagogique de l'image mobile, pourrait beaucoup nous apprendre.

Nous voudrions simplement faire quelques hypothèses relatives au problème de **la prétendue « passivité » du spectateur** d'images mobiles. Des parents aux éducateurs, ce mot est en effet sans cesse employé :

— En ce qui concerne plus précisément le film de fiction, Edgar Morin[4] avant Ch. Metz a soutenu que le spectateur avait tendance à s'identifier au personnage, ce qui crée en lui une passivité qui le met en situation régressive. Il y aurait là, pour nous pédagogues, une situation difficile dans laquelle l'élève, livré à l'imaginaire, n'aurait aucun « recul » pour analyser et travailler sur des images.

— Ch. Metz[5] parle lui d'une « démarche imaginaire » qui alterne avec « un retour au réel ».

— De son côté, et dès 1965, M. Tardy[6] notait que le phénomène de participation devait être beaucoup moins aigu à la télévision qu'au cinéma.

Par rapport à ce risque de passivité, le rôle du magnétoscope et des activités qu'il permet, **est à notre avis essentiel.** Le magnétoscope, en rendant possible l'étude d'une séquence de film, extrait ce document de ses conditions de visionnement habituel (salle dans l'obscurité), de son continu temporel, et doit ainsi favoriser fortement ce « retour au réel » dont parle Metz.

Il en va de même pour les émissions de télévision qui, soustraites du flux d'images qui les entourent, devraient permettre à l'élève d'adopter une attitude « distancée et analytique » [7].

Grâce au magnétoscope et aux possibilités de maniement que nous avons évoquées ci-dessus (retour en arrière, arrêt...), l'enseignant va pouvoir proposer des activités de comparaison, de classement, de repérage, de recréation, qui vont **amener l'élève à être de plus en plus actif face aux images.**

L'important alors n'est plus de se demander ce que les images font des élèves, mais de savoir ce que les élèves font d'images qu'ils ont tendance à valoriser fortement et ce, pour plusieurs raisons :

— Tout d'abord, par opposition aux images des méthodes, souvent neutres, intemporelles et inesthétiques, le document vidéo introduit dans la classe *des images authentiques, actuelles et variées.* **Le plaisir** procuré par ces images mobiles, qui sont celles qui nous entourent, celles qui constituent notre véritable environnement audiovisuel, ne doit pas être sous-estimé. Le choix des documents, la façon de les traiter, devraient tenir compte de ce facteur.

— Ensuite, *sur le plan de l'apprentissage* et de la représentation que les élèves s'en font, le document vidéo est pour eux l'un des plus sûrs moyens d'approcher une langue actuelle, variée et en situation.

— *Sur le plan culturel* enfin, les documents vidéo ont l'avantage pour les élèves de proposer les témoignages, les reflets d'une civilisation toute contemporaine, d'une réalité culturelle et sociale qui n'est pas figée, comme dans les manuels, mais qui est en train de se construire sous leurs yeux.

1.3. *Le document vidéo sous le signe de la variété*

L'un des plus gros atouts des documents vidéo est sans doute **leur variété.**

☐ Variété **des genres** (films de fiction, documentaires, courts métrages, émissions de télévision, documents didactiques), à laquelle correspondent la variété **des langages** de l'image propres à chaque genre mais aussi la variété **des situations** de discours et des discours eux-mêmes — ainsi que la variété **des thèmes** abordés.

Du débat télévisé à la séquence de film, les documents vidéo nous proposent toute une gamme de productions linguistiques ancrées dans une réalité culturelle.

L'image mobile joue alors un rôle capital en proposant à l'élève tous les éléments de la situation, tout le contexte non linguistique.

☐ À la variété des supports correspond **la variété des activités** que l'on pourra mener en classe. Nous reviendrons sur ce problème dans les chapitres qui suivent mais l'on peut déjà indiquer quelques points forts de ces activités :

Tout d'abord les **quatre aptitudes linguistiques** (compréhension et expression orales et écrites) y sont tour à tour travaillées.

Certaines de ces activités convoquent plusieurs de ces aptitudes en même temps et, surtout, nous serions tentés d'y rajouter une cinquième aptitude, l'attention visuelle (AV).

Le travail à partir de la vidéo n'a de sens, en effet, que si s'instaure en permanence un va-et-vient entre **compréhension orale et écrite,** attention visuelle et **production orale ou écrite.**

C'est aussi en fonction de cette importance accordée au visuel que — contrairement à ceux qui ne s'intéressent qu'à des messages redondants entre visuel et verbal —, nous avons proposé quelques **activités** presque entièrement **centrées sur le visuel.** On en proposera également d'autres centrées sur **les aspects complémentaires des messages visuels et verbaux,** d'autres enfin où le visuel doit être un déclencheur de productions orales ou écrites.

L'importance du visuel explique encore la part des activités consacrées au non-verbal.

Références citées :

1. Mot employé par les Anglo-Saxons.
2. Margerie (C. de), Porcher (L.), « Des médias dans les cours de langues », *CLE International,* 1981, « Expression appliquée à la télévision », page 95.
3. Doumazane (F.), « L'école, les enseignants et la TV », *Pratiques n° 37,* mars 1983, « La télé à l'école ».
4. Morin (E.), Le Cinéma ou l'homme imaginaire, *Éd. de Minuit,* 1956.
5. Metz (Ch), « Essais sur la signification au cinéma », 2 vol. *Éd. Klincksieck,* 1968-1972.
6. Tardy (M.), « Psychologie du spectateur de cinéma et du téléspectateur », *Téléciné, n° 121-122,* 1965.
7. Pacaud (J.-P.), « Les émissions pour la jeunesse », *Le Français aujourd'hui n° 52,* « Les médias saisissent l'école ».

ANALYSER
POUR CHOISIR

2

ANALYSER
POUR CHOISIR

2.1. Les codes cinématographiques (codes non spécifiques et spécifiques)

2.2. Les rapports canal-images et canal sonore :
- 1er type de rapport : redondance et « ancrage »
- 2e type de rapport : la complémentarité
- 3e type de rapport : l'autonomie des messages (apparente, partielle, complète)
- 4e type de rapport : le canal sonore dominant
- 5e type de rapport : le canal-images, message unique
- Autres rapports
- Bruits et musique

2.3. Le rôle du contexte

2.4. Le rôle de certains codes cinématographiques
- les échelles de plan
- les angles de prise de vue
- le cadrage
- les mouvements de caméra
- le montage (narratif, descriptif, expressif)
- codes cinématographiques et lisibilité des documents

Une fois convaincus de l'utilité des documents vidéo dans la classe de langues, il nous reste à **choisir** ces documents, à envisager des exploitations pédagogiques et donc tout d'abord à les **analyser.**

Or, il faut bien constater que nous sommes généralement peu préparés à ce genre d'analyse et ce, pour plusieurs raisons :

— Tout d'abord, comme le note F. Vanoye : « *l'apprentissage de la lecture des films est empirique* »[1]. Entendons par là que, sauf pour ceux qui ont reçu une formation en sémiologie de l'image, nous n'avons pas été habitués à un « *travail de déchiffrement, de reconnaissance particulier* »[2] du film ou plus largement du langage cinématographique.

— À cette première raison vient s'ajouter le fait que la plupart des documents que nous souhaitons utiliser se présentent d'abord comme de « *simples doubles du réel, de véritables duplications mécaniques de la réalité* »[3]. De la ressemblance entre l'image et ce qu'elle représente, naît cette « *illusion analogique* » qui peut faire croire que le cinéma et surtout la télévision ne font qu'enregistrer le réel sans mise en forme, sans langage.

Dès lors, **comment analyser un document vidéo si tout n'est que transparence ?**

La réalité est bien autre évidemment et même si le terme de langage cinématographique (*) pose encore problème pour certains, il faut constater que la « *sémiologie du cinéma a forgé un certain nombre d'instruments qui permettent de rendre compte de la façon dont fonctionne un message filmique, ce que dit le message et comment il le dit* »[4].

Ce sont donc quelques-uns de ces instruments, de ces outils que nous convoquerons ici pour mener certaines analyses non exhaustives et pas forcément « orthodoxes », mais qui devraient nous aider, au-delà de la simple analyse des contenus, à mieux choisir des documents et à envisager des activités en fonction de leur spécificité.

À cet effet, nous présenterons donc **les codes cinématographiques** (2.1), **les rapports entre canal sonore et canal-images** (2.2) et **le rôle de certains codes cinématographiques** (2.4).

2.1. Les codes cinématographiques (codes non spécifiques et spécifiques)

L'impression de « réalité » que nous éprouvons lors de la vision d'un document cinématographique et qui tient essentiellement à la richesse de l'image mobile et à la coprésence de l'image et du son, a cependant tendance à nous faire oublier les différents éléments que nous percevons et qui constituent la « matière filmique ».

Après Ch. Metz[5], F. Vanoye[6] rappelle que « *lire un film,* c'**est percevoir :**
— **de la langue écrite** (génériques, cartons, intertitres, fragments de lettres, journaux, enseignes, etc.)
— **de la langue parlée** (monologues, dialogues, y compris dans ses aspects suprasegmentaux : intonation, accentuation, intensité, etc.)
— **des sons** (bruits et musique)
— **des signes gestuels** (mimiques, gestes, pantomime)
— **des images :**
  - avec leur contenu (décor, aspect des objets et personnages)

(*) Notons que, bien qu'il y ait certaines différences, nous ne distinguerons pas (sauf mention particulière) l'image cinématographique de l'image télévisuelle. Par langage cinématographique ou message filmique, nous comprendrons le langage du cinéma et celui de la télévision.

- avec leur échelle (gros plan, etc.)
- avec leurs mouvements (mouvements d'appareil ou de personnages)
- avec leur succession (montage) ».

Ce tableau fait clairement apparaître la coexistence dans le texte filmique de **codes qui ne sont pas propres au cinéma** (par exemple, les signes gestuels) et que l'on retrouvera dans d'autres langages et de **codes qui lui sont propres** (par exemple, les mouvements de caméra) et qui n'apparaissent qu'au cinéma.

On appelle les premiers, **codes non spécifiques** et les seconds, **codes spécifiques** [7].

☐ Du côté des **codes non spécifiques,** on trouvera par exemple : les textes écrits, les paroles, les bruits, la musique, les mimiques et les gestes, les contenus des plans (objets, décors, personnages).

☐ Du côté des **codes spécifiques,** il convient de distinguer ceux qui sont vraiment spécifiques du cinéma (mouvements d'appareil, effets spéciaux, montage des images entre elles, combinaison images/bruits/paroles) de ceux que le cinéma partage avec la photographie : échelles de plan, angles de prise de vue, cadrages, éclairages.
Cette distinction ne doit pas être une opposition ou une « mise à plat » qui laisserait de côté la dynamique du film. En effet, ces codes s'enchevêtrent et comme le note G. Jacquinot [8], *« c'est l'articulation des codes spécifiques et des codes non spécifiques qui fait la singularité du film ».*

Pour le pédagogue, cette différenciation est d'une grande utilité.
Le plus souvent, dans les activités linguistiques que nous proposons, ce sont les codes non spécifiques qui seront travaillés. Mais n'oublions pas que ces codes sont mis en forme par des codes spécifiques sur lesquels il nous arrivera d'attirer l'attention des élèves. Les codes spécifiques pourront d'autre part constituer des critères de choix pour les documents (voir, dans ce chapitre, 2.3).

2.2. Les rapports canal-images, canal sonore

L'articulation que nous allons analyser pour aider l'enseignant dans le choix des documents vidéo est celle des rapports entre canal-images et canal sonore.
— Par **canal-images,** nous entendons tout ce qui apparaît à l'écran (personnages, objets, décors) ainsi que les éléments linguistiques (titres, etc.).
— Pour le **canal sonore,** nous retiendrons tout ce qui est langue parlée (dialogues, monologues), en laissant momentanément de côté la musique et les bruits.
Pour chaque **type de rapport** mis à jour, nous signalerons des **exemples de documents** dans lesquels on peut trouver ce rapport ainsi que quelques **« pistes » pédagogiques** (que nous ne développerons pas puisque les fiches du chapitre 3 rappellent souvent quel est le type de rapport le mieux approprié à l'activité).
L'unité cinématographique retenue est **la séquence :** suite de plans, organisée autour d'une unité thématique ou narrative.

2.2.1. 1er type de rapport : redondance et « ancrage »
☐ Certaines séquences présentent de vrais rapports de **redondance entre les deux canaux** (images et son).

☐ Il s'agit le plus souvent d'objets, d'actions qui sont nommés dans le canal sonore (par un personnage ou par une voix commentaire) et qui apparaissent à l'image.

Comme le notent C. Compte et J. Mouchon, la redondance « *peut porter sur des mots, des phrases ou sur des unités plus larges* »[9].

L'image est ici en redondance avec la bande sonore qui contient notamment : « *Pardon, Monsieur, c'est bien le train qui va à Ussel ?* »

☐ Dans d'autres séquences le rapport n'est plus à proprement parler de redondance mais d'**ancrage.**

Différents éléments de l'image (objets, lieux, personnes, gestes) viennent aider à comprendre ce dont on parle (thème) et pourquoi on en parle (intention) dans le dialogue ou la voix commentaire.

Il s'agit donc ici d'un rapport plus situationnel.

Les deux images permettent de comprendre le thème de l'échange : le voyage, et l'intention : demander des renseignements.

☐ Ces deux rapports, redondance et ancrage, peuvent se présenter de différentes façons :
— en simultanéité : le canal sonore contient des mots ou des phrases qui trouvent aussitôt leur traduction à l'image ;
— en léger différé : le canal sonore contient une série de mots, de phrases qui vont trouver leurs référents dans les plans ou la séquence qui suivent.
Inversement, le canal sonore peut nommer des objets, des actions qui ont été vus dans des plans, une séquence antérieurs.

▷ **Les documents** qui présentent le plus souvent ce premier type de rapport (subdivisé en redondance et ancrage) sont *les films pédagogiques, les méthodes de langue* et *les films scientifiques*. Les documentaires et les reportages peuvent offrir aussi des séquences de ce type. Enfin, et contrairement à ce que l'on pourrait croire, il n'est pas rare de rencontrer des séquences de films de fiction qui relèvent de la redondance et de l'ancrage.

▷ En ce qui concerne **les activités pédagogiques,** l'attention de l'élève sera attirée sur le fait que l'image vient l'aider à comprendre la bande sonore (au besoin, la transcription de celle-ci, qu'il aura sous les yeux). On pourra proposer des activités convoquant tour à tour compréhension orale, compréhension écrite et attention visuelle à travers des :
— **exercices de mise en relation** dans lesquels l'élève est invité à mettre en rapport les éléments d'une transcription et ce qui leur correspond à l'image (fiche 3.B.1), à choisir le dialogue qui correspond bien à la situation présentée dans la séquence (3.B.3),
— **exercices lacunaires** pour lesquels l'élève est invité à retrouver grâce à l'image ce qui est dit et, inversement ce qui est à l'image grâce à ce qui est dit (3.B.2),
— **exercices de production orale,** l'élève étant invité à produire des dialogues ou une voix commentaire à partir d'images passées sans le son (3.D.2, 3.D.3),

2.2.2. 2e *type de rapport :* la complémentarité
☐ Il y a complémentarité lorsque l'un des messages apporte des informations que l'autre message ne contenait pas mais qui lui sont directement liées et qui sont donc essentielles à la compréhension du document.
La voix commentaire joue souvent ce rôle en venant donner un supplément de caractérisation, d'identification à des lieux, des personnes qui apparaissent à l'écran.
Elle peut aussi permettre de situer dans le temps des actions, des événements présents à l'écran.

☐ Il faut noter que dans ce système de complémentarité, il peut y avoir **équilibre entre les deux messages** (les informations se répartissant également) **ou bien priorité d'un message sur l'autre.**
— Le message du canal-images peut, par exemple, prédominer et recevoir simplement quelques informations complémentaires du canal sonore.
— Inversement, le message du canal sonore peut être le plus important. Il sera alors simplement enrichi de quelques informations complémentaires du canal-images.

La bande sonore va ici livrer des informations complémentaires à celles de l'image : lieu de la manifestation, moment, etc.

▷ Ce sont certainement *les documentaires* et *les reportages* qui présentent le plus souvent ce type de rapport à travers la voix commentaire.

▷ **Les activités pédagogiques** inciteront l'élève à aller chercher, soit dans l'image, soit dans la bande sonore les informations qui lui manquent grâce à des exercices de repérage et des grilles lacunaires (fiche 3.B.10).

L'expression pourra aussi être sollicitée pour réaliser une voix commentaire (3.D.3).

2.2.3. 3e *type de rapport :* **l'autonomie des messages**

Nous distinguerons différents degrés d'autonomie.

□ *2.2.3.a. L'autonomie apparente*

Dans ce cas, le contenu linguistique du canal sonore n'entretient pas de rapports directs et logiques avec les images.

Le rapport est plutôt d'ordre symbolique.

L'image vient illustrer par métaphore, par associations d'idées libres, le propos tenu dans la bande sonore.

Errement et solitude à l'image font écho au refrain de la chanson de ce vidéoclip : *« Lola j'suis qu'un fantôme quand tu vas où j'suis pas ».*

On trouvera ce type de rapport dans certaines séquences d'interview, de documentaires artistiques, de vidéoclips.

☐ *2.2.3.b. L'autonomie partielle*

On rencontre ce type d'autonomie lorsque les images présentées n'entretiennent qu'un rapport thématique ou événementiel assez lâche avec le contenu linguistique de la bande sonore.

Plan d'immeuble entretenant un rapport très général avec le thème du documentaire : le logement des jeunes.

Les documentaires et reportages de télévision présenteront ce type de rapport, notamment lorsqu'on a été obligé d'utiliser des images d'archives qui ne correspondent pas directement aux événements évoqués dans la bande sonore.

De la même façon, certains documentaires de civilisation, certains portraits auront recours à cette technique de « remplissage ».

☐ *2.2.3.c. L'autonomie complète*

Il s'agit de séquences dans lesquelles le canal sonore n'entretient aucun rapport avec le canal-images, chacun délivrant cependant un message.

Personnes qui parlent de tout autre chose que de ce qui les entoure. Le cadre délivrant cependant, lui aussi, des informations.

On trouvera des exemples de ce type dans des séquences de films de fiction nous présentant un lieu (rue, intérieur, etc.) dans lequel se tient une conversation qui n'entretient aucun rapport avec ce cadre.

Des interviews pourront aussi présenter ce type de rapport.

▷ Si l'autonomie permet **moins d'activités pédagogiques** que les deux précédents types de rapports, on pourra néanmoins envisager pour ces séquences des exercices d'attention visuelle (fiches 3.A.l, 3.A.2), des exercices de discrimination (3.B.11) et des exercices d'expression (3.D.4, 3.D.5, 3.D.7, 3.D.8).

2.2.4. *4e type de rapport :* **message dominant, le canal sonore dominant**

☐ **Le message sonore domine** lorsque dans une séquence, une personne cadrée en « plan rapproché » tient des propos sans que l'image ne vienne aider à comprendre de quoi parle cette personne.

Il faut noter cependant que nous avons parlé de message dominant et non de message unique, car le physique, l'habillement et des éléments non verbaux (mimiques, gestes) peuvent, selon les documents, apporter des informations intéressantes à mettre en relation avec le contenu linguistique de la bande sonore.

Interview. La plus grande partie de l'information passe ici par le canal sonore.

▷ Les **interviews,** les **débats,** les présentations de **Journal télévisé** présentent très souvent ce type de rapport.

▷ L'enseignant pourrait être tenté d'écarter ces séquences en estimant peu utile de travailler sur un document qui pourrait aussi bien être un simple enregistrement sonore.
Cela reviendrait à sous-estimer **le rôle du non-verbal.** Les débats, les face-à-face sont riches en interactions dans lesquelles le non-verbal tient une place importante (3 C.1).
Il convient, d'autre part, de prendre en compte le rôle du contexte (2.3) dans l'approche pédagogique de séquences de ce type.

2.2.5. *5e type de rapport :* **le canal-images, message unique**

☐ Dans certaines séquences, c'est **le canal-images seul qui va apporter de l'information,** le canal sonore ne contenant alors aucun élément linguistique.
Il peut s'agir d'images narratives ou descriptives formant un tout (interludes à la télévision, films muets, courts métrages) ou faisant partie d'un tout (séquences de film de fiction, de documentaires, de films méthodes de langue).

Image narrative non accompagnée de linguistique dans la bande sonore.

▷ Sur le plan pédagogique, les séquences présentant ce type de rapport permettront bien sûr des *exercices d'attention visuelle* (fiches 3.A.1 à 3.A.7) mais aussi des *exercices de production* orale ou écrite (3.D.1, 3.D.4, 3.D.5, 3.D.7, 3.D.8).

2.2.6. Autres rapports

Il faut signaler qu'en dehors de ces cinq principaux types de rapport, on peut rencontrer moins fréquemment d'autres types de rapport :
— **rapport de contradiction :** le sonore vient contredire l'image (ou l'inverse),
— **rapport de distanciation :** le commentaire relativise l'image,
— **rapport critique :** le commentaire ou le dialogue contiennent un point de vue critique sur l'image,
— **rapport de surdétermination :** le linguistique de la bande sonore en redondance avec l'image vient exagérer, amplifier, le message de l'image.
Des séquences présentant ces types de rapports pourront être utilisées pour l'activité 3.D.3.

2.2.7. Bruits et musique

En ce qui concerne le canal sonore, il convient de noter que des éléments que nous n'avons pas pris en compte, la musique et les bruits, pourront jouer un rôle important par rapport à l'image :
— bruits réalistes en redondance avec l'image,
— musique signifiante,
— musique jouant un rôle de lien narratif,
— musique caractérisant le genre de document.
Ces aspects de la bande sonore seront pris en considération dans les activités 3.B.9, 3.D.6.

2.3. Le rôle du contexte

L'analyse qui précède, qui portait volontairement sur des séquences et non des documents entiers, a pu, par moments, laisser de côté le **rôle du contexte.**
Ce rôle est bien sûr **essentiel** et va déterminer en partie les exploitations pédagogiques, mais il varie selon le type de documents.

Il peut s'agir essentiellement :
▷ **d'un contexte extérieur au document :**
Ainsi une émission constituée entièrement d'*une interview* avec seulement l'interviewer et l'interviewé (elle relève de la catégorie 4 : *le canal son domine*).
Le spectateur français pourra, en général, mobiliser une connaissance médiatique antérieure : connaissance par la presse, la radio ou la télévision de la personne interviewée. Il situera l'émission et les réactions des interlocuteurs dans leur contexte.
Cela pourra être quelquefois le cas pour l'étudiant étranger qui aura lu ou entendu des informations en français ou dans sa langue maternelle sur la personnalité présentée.
Dans d'autres cas par contre, l'étudiant découvrira l'interviewé au moment de l'interview, le document vidéo devra alors être accompagné d'autres documents venant l'éclairer ;

▷ **d'un contexte large interne au document :**

Le meilleur exemple est sans doute *le film de fiction*. Une séquence que nous avons isolée comme appartenant à la catégorie 3 (*autonomie des messages*), et qui présente par exemple deux personnes discutant dans un cadre étranger à leur discussion (autonomie complète). La discussion peut très bien recevoir un éclairage du contexte narratif.

Grâce à ce qu'il sait déjà des personnages, de leurs rapports, du type d'actions dans lesquelles ils sont engagés, l'élève pourra souvent faire des hypothèses sur les échanges langagiers au sein de la séquence. Si la présentation s'est limitée à une séquence, l'enseignant pourra soit restituer la séquence dans son contexte ou utiliser l'isolement pour des activités pédagogiques : deviner ce qui précède ou ce qui suit ;

▷ **d'un contexte étroit interne au document :**

Reprenons le cas de *l'interview.*

Il peut s'agir d'une interview de spécialiste, d'homme politique qui se fait sur le « plateau » (qui relève donc de la catégorie 4). Dans certains cas, un reportage projeté sur l'antenne juste avant et portant sur la même information, a pu apporter une série d'informations (catégorie 1 ou 2 : « redondance » ou « complémentarité » des messages) qui font que l'élève saisira facilement le thème de l'interview et même peut-être les intentions de l'interviewé.

[Dans cette analyse du contexte, nous avons volontairement choisi des exemples difficiles (séquences de rapport 3 ou 4), pour montrer principalement deux choses :

— que ces types de séquences gagnent à être exploitées pédagogiquement dans leur contexte,

— et que corollairement, elles ne doivent pas être écartées parce qu'étant pauvres en informations images.]

| **2.4. Le rôle de certains codes cinématographiques** |

Si les rapports entre le son et l'image que nous venons d'analyser et la définition du contexte, jouent un rôle capital dans le choix des documents vidéo et des activités pédagogiques appropriées, il reste que certains **codes photo-cinématographiques** (échelles de plan, angles de prise de vue, cadrage) **et cinématographiques** (mouvements d'appareil, montage) vont, eux aussi, devoir être pris en compte.

En examinant ces codes, il ne s'agit pas pour nous de vouloir attribuer une signification et une seule à un type de plan ou à une catégorie de montage comme a voulu le faire à une certaine époque une « grammaire du cinéma », aujourd'hui dépassée et pratiquement abandonnée.

Nous voulons en fait **rappeler quelques grands types d'utilisation et de fonctions de ces codes,** tout en essayant de **voir quels sont ceux qui vont rendre plus aisée l'exploitation pédagogique** d'un document.

(On se reportera au glossaire pour tous les termes techniques.)

2.4.1. Les échelles de plans

En ce qui concerne la taille ou grosseur ou échelle des plans, on distingue :

— *Le plan général :* Il montre l'ensemble du décor. S'il y a des personnages, ce ne seront que des silhouettes.

— *Le plan d'ensemble :* Montre un groupe de personnages reconnaissables dans un décor (rue, intérieur de maison).

— *Le plan moyen* : Cadre le/les personnage(s) en pied.

— *Le plan américain* : Cadre le/les personnage(s) aux genoux.

— *Le plan demi-rapproché* : Cadre à la taille.

— *Le plan rapproché* : Cadre à la poitrine.

— *Le gros plan* : Cadre le visage d'un personnage ou un objet de près.

☐ **La signification des échelles ou « grosseurs » de plans** (voir glossaire) est relative. Elle peut, en effet, dépendre du langage propre à un film ou à un genre.

De grandes tendances peuvent néanmoins être mises à jour.

François Chevassu [10] distingue pour les films « les plans de référence au décor et les plans de référence aux personnages :

1) **Plans de référence au décor** (plan général/ensemble/demi-ensemble) :

→ fonction descriptive,

→ situation de l'action.

2) **Plans de référence aux personnages :**

Plans narratifs (moyen/américain) :

→ décrivent l'action,

→ montrent le comportement des personnages.

Plans psychologiques (gros plan/très gros plan) ».

→ décrivent « l'état d'esprit » des personnages.

Il conviendrait de rajouter pour les plans narratifs : les plans demi-rapprochés qui sont les plans types de scènes de dialogues et les plans rapprochés qui détaillent les personnages.

▷ Notons que, quel que soit l'ordre adopté : décors puis personnages ou personnages puis décors, on a là une construction très lisible dont chaque phase permettra de privilégier une activité pédagogique :

— Activités de description, de situation dans l'espace en 1.

— Activités de récit, de caractérisation de personnages, de travail sur les dialogues en 2.

Si, d'autre part, nous avons affaire à des documents non narratifs, on voit très bien comment la phase 1 situera d'une manière générale l'objet du documentaire avant de s'attacher aux détails en 2.

☐ Il faut aussi signaler que **la longueur des plans** est généralement liée à leur grosseur.

Un plan d'ensemble sera en principe plus long qu'un plan moyen, pour que le spectateur ait le temps de percevoir le contenu du plan. Cela étant, un gros plan pourra être long si le réalisateur veut insister sur un élément psychologique ou descriptif.

De leur côté, les plans du direct à la télévision auront tendance à être plus longs que les plans de cinéma.

Les écarts relatifs à l'échelle et à la longueur des plans : variations brutales dans l'échelle des plans, ellipses troublantes, usage systématique de plans très courts, vont évidemment altérer la lisibilité du récit ou de la description et privilégier chez le spectateur les associations d'idées sur la représentation objective.

2.4.2. Les angles de prise de vue

Les rôles de **la plongée** et de **la contre-plongée** varient beaucoup selon les films de fiction.

Paradoxalement, leur emploi dans des documentaires est de plus en plus fréquent sans qu'elles y jouent un rôle vraiment particulier.

Notons tout de même que la plongée peut avoir une fonction descriptive en embrassant dans un plan d'ensemble un maximum de détails.

Le **champ-contrechamp** qui montre alternativement deux interlocuteurs, sera très précieux pour une activité centrée sur l'analyse d'un dialogue et de ses éléments non verbaux.

2.4.3. Le cadre

En ce qui concerne **le cadrage** qui est l'organisation, la composition de l'image, on prendra en considération le fait que certains éléments peuvent faciliter la lisibilité et l'exploitation pédagogique d'une séquence [11] :

— expression d'une idée, ou mise en valeur d'un élément par plan,

— conduite du regard du spectateur sur le sujet principal,

— éliminations de détails superflus.

Par contre, le fait de laisser des éléments de l'action ou de la description hors du cadre, de ne montrer que des détails significatifs ou de composer de façon peu naturelle le cadre, perturbera la lisibilité et orientera le spectateur vers une lecture plus associative et symbolique.

De son côté, **la profondeur de champ** permettra de situer différents personnages ou objets dans un plan.

2.4.4. Les mouvements de caméra

Les panoramiques liés à un plan d'ensemble ou de demi-ensemble vont permettre de découvrir un cadre et faciliteront les activités de description et de situation dans l'espace.

Le travelling d'accompagnement qui suit un ou des personnages en mouvement, se prêtera lui aussi à des activités de situation dans l'espace.

Enfin le **travelling avant** qui fait passer d'un plan large à un plan rapproché et le **travelling arrière** qui opère la même transformation en sens inverse, sont des facteurs de lisibilité, en ce sens qu'ils permettent de situer un détail dans un ensemble ou un personnage dans son cadre.

2.4.5. Le montage

Le montage entendu comme « *l'organisation des plans d'un film dans certaines conditions d'ordre et de durée* »[12] et dans certains rapports avec la bande sonore, est un élément essentiel du langage cinématographique que toute analyse prépédagogique d'un document vidéo doit prendre en compte.

☐ *2.4.5.a. Le montage narratif*
Lorsque la « matière » du document est une histoire fictive (films de fiction) ou une suite d'événements réels qui constitue une narration (reportage, fait divers), le montage narratif pourra assembler ces fragments d'histoire de différentes manières à travers[13] :

— *Le montage linéaire :* Les événements s'enchaînent logiquement et chronologiquement.

Il peut y avoir continuité temporelle complète (sans ellipses) comme dans le plan séquence, dans certains directs à la télévision, ou bien des ellipses plus ou moins importantes mais interprétées sans problème par le récepteur, grâce à l'image et à la bande sonore.

— *Le montage inversé :* Les événements ne sont plus racontés dans l'ordre chronologique, mais à travers des retours en arrière ou des sauts en avant.

— *Le montage alterné :* Des actions simultanées sont montrées alternativement.

— *Le montage parallèle :* Des actions qui ne sont pas forcément contemporaines, sont rapprochées dans le montage à des fins symboliques et expressives.

Le montage linéaire est certainement celui qui permettra la plus grande lisibilité tandis que les trois autres types de montage donneront lieu à des activités plus difficiles de situation dans le temps (ou à des activités plus centrées sur les réactions et l'expression personnelle dans le cas du montage parallèle).

☐ *2.4.5.b. Le montage descriptif*
Lorsque le document n'est plus organisé autour d'une narration, mais autour de la description d'un lieu, le portrait d'une personne, la description d'une activité ou le traitement d'un thème (cas des documentaires), le montage que nous appellerons descriptif, devra contenir, pour être le plus lisible possible :

— des plans assez longs pour être bien identifiés ;

— des plans entretenant entre eux une logique spatiale et thématique, pour éviter des « creux » dans la lecture de l'image ;
— des plans susceptibles de livrer clairement de l'information :
  - soit à eux seuls (rapport 5),
  - soit, le plus souvent, en redondance et/ou complémentarité avec la bande sonore (rapports 1 et 2).

☐ *2.4.5.c. Le montage expressif*
Ce montage consiste à rapprocher des plans qui n'ont pas forcément un rapport logique, et ce pour exprimer d'une façon symbolique, un sentiment ou une idée.
Ce type de montage présent dans certaines interviews mosaïques (voir 4.c.d), des vidéo-clips, certaines publicités ou des films expérimentaux, rend la lecture d'un document plus difficile et sera réservé à des activités centrées sur l'expression personnelle des élèves, la formulation d'hypothèses, la créativité.

☐ *2.4.5.d. Rythme et montages*
Il convient enfin de signaler que ces différents types de montages peuvent présenter des rythmes différents en jouant sur la longueur des plans (cf. aussi 2.3.1).
Si les documents pédagogiques ont tendance à allonger systématiquement les plans, quelquefois jusqu'à provoquer l'ennui, il faut noter que l'excès inverse — plans très courts, ellipses très fortes de certaines publicités ou de vidéoclips — risque de perturber toute lecture et toute exploitation des images.
Si la durée d'un plan dépend de la richesse de son contenu, de l'effet dramatique souhaité, il reste que, comme le souligne François Chevassu [10], *« une image est un ensemble complexe, juxtaposant plusieurs signifiants visuels et sonores »*, ce qui suppose une certaine durée de plan permettant une lecture qui *« comprend à la fois l'identification de ces signifiants, l'évaluation de leur fonction dans le film et celle de leurs actions réciproques »*.
Cette « lecture » étant encore plus délicate pour un élève étranger (en ce qui concerne la bande sonore et certaines images très culturelles) et devant donner lieu ensuite à des activités pédagogiques, on peut penser que le problème du rythme du montage est loin d'être indifférent et que la longueur des plans pourra être l'un des critères de choix des documents.

2.4.6. Codes cinématographiques et lisibilité des documents
L'examen des codes cinématographiques auquel nous venons de nous livrer permet de penser que, sur le plan pédagogique, les codes cinématographiques les plus *simples* ou les plus *normalisés* vont dans le sens de la lisibilité maximum pour les élèves, tandis que les codes plus *complexes* ou employés d'une façon plus *personnelle* pourront, soit freiner la compréhension, soit être adaptés à un niveau avancé à des activités plus créatives dans lesquelles les réactions personnelles des élèves seront sollicitées.

Codes		**Activités pédagogiques**
Emploi normalisé des codes →	Lisibilité maximum →	Activités de compréhension et d'expression « neutres »
Emploi plus personnel des codes →	Lisibilité plus subjective→	Activités centrées sur l'expression personnelle, la formulation d'hypothèses, la créativité

Références citées :

1. Vanoye (F.), « Récit écrit, récit filmique », *Cedic. Collection, « Textes et non-textes »,* page 36.

2. *Ibid.,* page 15.

3. Aumont (J.), Bergala (A.), Marie (M.), Vernet (M.), « Esthétique du film », *Nathan.*

4. Jacquinot (G.), « Image et pédagogie », *PUF,* page 38.

5. Metz (Ch.), « Langage et cinéma », *Albatros,* 1977.

6. Voir 1.

7. Sur cette notion, voir 1 et 3, page 141.

8. Voir 4.

9. Compte (C.), Mouchon (J.), « Décoder le Journal télévisé », *BELC* 1984, page 8 et **Compte (C.)** « Document authentique vidéo cherche professeur », *Études de linguistique appliquée n° 58.*

10. Chevassu (F.), « L'Expression cinématographique », *Lherminie,* 1977, pages 35 et suivantes.

11. Biderbost (Marc), « Guide du cinéma d'amateur et de la vidéo », *Marabout,* 1980, page 36.

12. Martin (M.), « Le Langage cinématographique », *Éditeurs français réunis,* 1977, page 151.

13. Sur les problèmes de montage, voir **Betton (G.),** « Esthétique du cinéma », *Que sais-je ?,* 1983, page 80 ; **Martin (M.),** voir 12, page 151. ; **Metz (Ch.),** « Essais sur la signification au cinéma :, *Klincksieck,* 1978, tome 2, page 149.

ACTIVITÉS D'ATTENTION VISUELLE

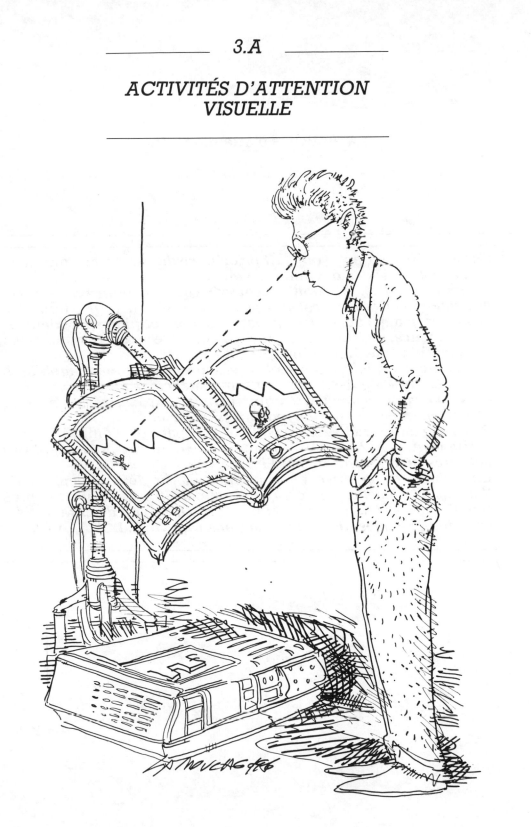

3.A Activités d'attention visuelle

Ces activités ont pour objectif prioritaire de mettre en confiance l'élève vis-à-vis des documents vidéo.

À travers elles, il doit découvrir que « comprendre » un document vidéo, ce n'est pas seulement (ou surtout, comme le croient certains) déchiffrer la bande sonore et plus spécialement les dialogues, mais que c'est aussi savoir être attentif à toutes les informations que livre l'image.

Si l'on veut exploiter toutes les ressources de l'image mobile, il faut très tôt « aiguiser » l'attention visuelle des élèves.

C'est pourquoi les activités qui suivent sont centrées sur cette attention, même si les moyens utilisés varient.

Ainsi certaines fiches convoquent une part de compréhension écrite (3.A.1, A.2, A.3, A.4), tandis que d'autres présentent des activités ne relevant que de l'image.

En dehors de la mise en confiance et du développement de l'attention visuelle, on verra aussi apparaître des objectifs plus linguistiques : travail lexical (3.A.1, A.2), travail de caractérisation de personnes, de lieux, d'actions (3.A.3, A.4, A.5, A.6).

Descriptif

L'élève est invité à **mettre en rapport des listes de mots,** de définitions, qu'il a sous les yeux **et le contenu des images** qu'il voit à l'écran.

▷ **Documents**

Documents courts dans lesquels le contenu de l'image est riche : publicités, vidéoclips, reportages et documentaires (qui pourront être visionnés sans le son). Types de rapports image/son : 1, 2, 3 et 5.

▷ **Contenu pédagogique**

Ces mini-activités permettent essentiellement un **travail lexical** (acquisition ou évaluation du vocabulaire), l'élève ayant à mettre en rapport un mot et son référent apparu à l'écran.
Selon les documents utilisés et les listes proposées, on pourra travailler des éléments lexicaux épars ou des champs sémantiques précis.

▷ **Préparation**

Le professeur devra, lors du visionnement prépédagogique, **réaliser les listes** (sauf dans le cas de 3.A.1.a) qu'il remettra aux élèves avant le visionnement.

▷ **Déroulements**

☐ **3.A.1.a. LA LISTE LA PLUS LONGUE**

On annonce aux élèves qu'ils devront, lors du visionnement du document, **relever le plus grand nombre** d'objets, de personnages, de lieux, de détails vestimentaires, etc.

La liste la plus longue est ensuite inscrite au tableau et confrontée au document vidéo, les élèves ayant à vérifier qu'il n'y a pas dans cette liste d'erreurs, de rajouts, etc.

☐ **3.A.1.b. PRÉSENTS/ABSENTS**

Avant le visionnement, on remet aux élèves une liste d'objets et/ou de personnages, et/ou de lieux, etc.
On les prévient qu'il y a dans cette liste des objets/personnages/lieux qui apparaissent effectivement à l'image, tandis que d'autres en sont absents, et qu'ils auront après le visionnement à **entourer d'une couleur les éléments présents, d'une autre les éléments absents.** Un deuxième visionnement permet la vérification.

☐ 3.A.1.c. LISTE A ERREURS

La liste remise aux élèves **contient des erreurs** portant sur des objets/des lieux, etc. Le plus souvent, ce seront des erreurs de caractérisation, portant sur la couleur, la taille, la forme d'un objet, l'âge d'un personnage, la nature d'un lieu.
Après le visionnement, **les élèves doivent corriger** ces erreurs avant qu'on ne vérifie lors d'un deuxième visionnement.

☐ 3.A.1.d. LISTE DANS LE DÉSORDRE

La liste présente des objets, des personnages, dans **un ordre qui n'est pas celui de leur apparition à l'écran.** Après un ou deux visionnements, les élèves doivent remettre les éléments dans l'ordre (numéroter).

□ 3.A.1.e. LES DÉFINITIONS

On propose un certain nombre de définitions.

Seules quatre ou cinq de ces définitions correspondent à des choses apparaissant à l'écran.

Après visionnement, **les élèves doivent mettre une croix en face des définitions correspondant à des éléments qu'ils ont vus.**

▷ *Variantes*

□ 3.A.1.b. PRÉSENTS/ABSENTS

L'intrus

Tous les éléments de la liste figurent bien dans la séquence, hormis un élément qui est sur la liste et non à l'image et qu'il faut trouver.

Les absents

Pour une séquence très courte, la liste est incomplète. Les élèves doivent la compléter après visionnement.

□ 3.A.1.d. LISTE DANS LE DÉSORDRE

Plans/séquences dans le désordre

Pour un document plus long, ce sont des plans ou même des séquences (dont on indiquera succinctement le contenu) qui seront présentées dans le désordre.

Mélanges

Pour une suite de séquences courtes (publicités différentes, développements des titres du *Journal télévisé*), on propose une liste d'objets/de personnages/de lieux pour chaque séquence numérotée. Mais on a fait glisser dans la liste de la séquence 1 des éléments qui appartiennent à la séquence 3, etc.

Aux élèves de rétablir les vraies correspondances.

□ 3.A.1.e LES DÉFINITIONS

Les charades

Même principe que pour les définitions, mais avec des charades.

On peut simplifier l'activité en proposant une seule charade qui correspond à un objet que les élèves devront retrouver à l'écran.

Descriptif

Les élèves doivent **repérer dans le résumé d'une séquence** ou d'une suite de séquences, **les erreurs, les oublis, les rajouts** qu'on a pu y glisser.

▷ **Documents**

Documents narratifs : séquences de films de fiction, reportages, feuilletons de films-méthodes de langue. Types de rapports image/son : 1, 2, 3 et 5.

▷ **Contenu pédagogique**

Caractériser des actions. Situer dans le temps et dans l'espace.

Cette activité, proche de celles menées avec les listes, permettra un travail d'attention visuelle plus précis.

Plus riche que les listes, le résumé permet d'introduire des éléments relatifs aux actions, à la chronologie, aux déplacements des personnages, au non-verbal.

▷ **Préparation**

L'enseignant rédige un court résumé dans lequel il glisse des erreurs concernant, par exemple, les actions, la chronologie des événements.

Une autre formule consiste à oublier volontairement certains de ces éléments. On peut enfin, comme dans les listes, introduire des intrus, c'est-à-dire des événements, des actions qui n'apparaissent pas à l'image.

▷ **Déroulement**

Les élèves prennent connaissance du résumé avant le visionnement. Après un ou deux visionnements, selon la longueur et la difficulté du document, **ils doivent corriger le résumé** et/ou supprimer les intrus et/ou rajouter les éléments absents du résumé, mais présents à l'image.

▷ **Variante**

On pourra proposer aux élèves trois courts résumés.

Dans deux de ces résumés auront été glissées des erreurs. Les élèves devront donc retenir le **bon résumé**.

Descriptif

À partir de deux listes et après visionnement, les élèves doivent **mettre en rapport des lieux et les personnages** qui s'y trouvaient.

▷ **Documents**

Séquences de films de fiction, de courts métrages, de reportages authentiques ou de méthodes, dans lesquelles varient lieux et personnages.
Tout type de rapport image/son, sauf 4.

▷ **Contenu pédagogique**

Première approche liée à l'attention visuelle et conduisant vers l'**étude détaillée des situations**.
Situation dans l'espace. Caractérisation sommaire de la personne.

▷ **Préparation**

*L'enseignant devra **préparer deux listes.
Une liste des principaux lieux** des différentes scènes.
Une autre liste contenant les **principaux personnages.***

La liste des personnages ne correspondra volontairement pas à leur ordre d'apparition.

▷ **Déroulement**

Après visionnement du document, on remet les deux listes aux élèves ou on les inscrit au tableau. Ils doivent **retrouver pour chaque lieu** quels étaient **les personnages** qui apparaissaient à l'écran dans ce lieu.

▷ **Variante**

Une liste « **actions** » (elle aussi non chronologique) pourra remplacer ou s'ajouter à la liste personnages. Ces actions seront à mettre en rapport avec les lieux dans lesquels elles se déroulaient.

Descriptif

Avant le visionnement, chaque élève (ou groupe) reçoit **un carton proposant la description d'un personnage, d'un lieu ou d'une action** (ou les trois en même temps).

Les indications doivent porter uniquement sur l'image. Au cours du visionnement, l'élève doit **reconnaître et signaler l'image ou la séquence qui correspond à son carton.**

▷ **Documents**

Séquences de films de fiction, reportages, sketches, publicités, unités de films-méthodes.

(Pour le « Prolongement », rapports image/son 1 ou 2 indispensables.)

▷ **Contenu pédagogique**

Compréhension écrite du carton.

Mise en rapport des mots et de leurs référents à l'écran.

Caractérisation de personne, de lieu, d'action.

(Dans le cas des cartons incomplets : expression orale ou écrite.)

▷ **Préparation**

Lors du visionnement prépédagogique, le professeur devra préparer des cartons en fonction des objectifs pédagogiques qu'il se donne : travail centré sur les personnages, les lieux, etc., ou sur tous les constituants de la situation.

▷ **Déroulement**

Un élève doit se trouver près du magnétoscope.

On distribue les cartons aux élèves qui en prennent connaissance.

Lors du visionnement, **dès que l'élève voit à l'écran ce qui correspond à son carton, il lève le doigt** et demande à l'élève qui est près du magnétoscope de « geler » l'image.

Il lit alors son carton pour que les élèves en prennent connaissance, tout en regardant l'image arrêtée.

▷ **Variante**

Le **carton** de l'élève peut être **incomplet** : il y manquera les détails concernant la personne, le lieu ou l'action.

On demande alors à l'élève de compléter (par oral ou par écrit) la description en fonction de ce qu'il voit à l'image.

(On peut aussi faire appel aux autres élèves.)

▷ **Exemple**

Voir page suivante.

CARTONS

— *Lieu* : Rayon mercerie.
— *Personnages* : Jeune femme brune, environ 30 ans + vendeuse.
— *Action* : Achat (article de mercerie).

— *Lieu* : Hall de centre commercial.
— *Personnages* : Jeunes femmes + petit garçon.
— *Action* : marchent dans le hall.

— *Lieu* : Magasin d'articles de cuisine/vaisselle.
— *Personnages* : 2 amies + vendeur.
— *Action* : Achat d'un objet.

▷ *Prolongement*

Cette activité pourra ne plus porter simplement sur l'attention visuelle, mais mener vers la production de dialogues (voir fiche 3.D.2), selon les modalités suivantes :

a) **On visionne** le document, sans la bande son, en s'arrêtant sur chaque mini-situation (quand le groupe, qui a le carton correspondant, le demande).

b) **On reprend** ensuite chaque mini-situation en « gelant » l'image et en demandant au groupe qui a le carton de détailler les éléments de cette situation, puis d'imaginer un dialogue.

c) **On inscrit le dialogue au tableau.**

d) **On visionne** la mini-situation avec la bande son et l'on demande de comparer la production du groupe et le mini-dialogue original.

Descriptif

Les élèves, individuellement ou en groupes, doivent **remplir,** après visionnement, un **scénario incomplet.**

▷ **Documents**

Séquences de films de fiction, de feuilletons télévisés, de reportages ou de films-méthodes de langue.
Ces séquences devront être narratives et présenter des changements de lieux, de personnages.
(Tout type de rapport image/son, sauf 4.)

▷ **Contenu pédagogique**

Mise en rapport du scénario et des images qui lui correspondent.
Pour les parties lacunaires : expression orale ou écrite, avec caractérisation de personnes, de lieux, d'actions.

▷ **Préparation**

*Dans certains cas, et notamment pour les films de fiction, le **professeur** doit dispo-ser d'un scénario (ou d'un découpage). Il **masquera des indications** relatives aux lieux, aux personnages, etc., avant de passer le document à la photocopieuse. Dans les autres cas, il réalisera lui-même un découpage succinct et laissera des blancs correspondant à des choses vues à l'écran et qu'il souhaite travailler. Selon ses objectifs linguistiques, il pourra, s'il le souhaite, gommer uniquement les lieux ou les personnages, etc. (Voir tableau ci-dessous.)*

▷ **Déroulement**

Les élèves prennent connaissance du scénario incomplet, avant le visionnement.
Après un ou deux visionnements de chaque séquence, on leur demande de compléter ce qui manque, oralement ou par écrit.
Un deuxième ou troisième visionnement permet enfin de vérifier les propositions des élèves.

	Lieux	Objets importants	Personnages	Actions
1re séquence	indiqué(s)	?	indiqué(s)	indiquée(s)
2e séquence	?	indiqué(s)	?	?

3.A.6. QU'EST-CE QUE C'EST ? QUI EST-CE ?

Descriptif

Les élèves doivent **retrouver par un « jeu de questions »** un objet, un personnage, un lieu choisis « secrètement » par un élève ou un groupe dans une séquence.

▷ **Documents**

Images riches. Reportages télévisés, publicités, vidéoclips, séquences de films de fiction.

▷ **Contenu pédagogique**

Questionner. Caractériser. Situer dans le temps, l'espace.

▷ **Déroulement**

Un élève (ou un groupe d'élèves) est prévenu que lors d'un visionnement avec les autres élèves, il devra choisir un objet, un personnage, un lieu.

Il note son choix sur une feuille. S'il s'agit d'un groupe, il se réunit quelques minutes après le visionnement, pour se mettre d'accord sur l'élément retenu.

Ensuite, à travers un jeu de questions posées, les autres élèves doivent retrouver ce qui avait été choisi.

▷ **Variantes**

— Ce peut être le professeur qui annonce après le visionnement qu'il a choisi dans la séquence quelque chose que les élèves doivent retrouver en lui posant des questions.

— Dans une classe à faible effectif, chaque élève peut choisir quelque chose et se prêter aux questions de ses camarades.

Descriptif

Les élèves doivent **observer,** à l'intérieur d'une séquence, **les mouvements et déplacements d'un personnage** dans un espace restreint.
Dans la variante il s'agit d'observer la place des personnages dans un décor.

▷ **Documents**

Séquences de films de fiction, de reportages, de publicités, de films-méthodes de langue, présentant des **personnages :**
— **se déplaçant** beaucoup dans la séquence,
— se déplaçant dans des plans (profondeur de champ, plan séquence),
— vus de près ou de loin selon l'échelle des plans,
— cadrés sous différents angles.

▷ **Contenu pédagogique**

Localisation et relations dans l'espace. Formulations linguistiques relatives à la situation, la distance, les mouvements, les déplacements.

▷ **Déroulement**

1er temps : **On demande aux élèves de suivre** pendant la séquence, **un personnage** (dont on a donné la caractérisation avant le visionnement, sous forme de fiche au tableau ou de « carton » remis aux élèves) pour pouvoir indiquer ensuite, de façon précise, ses mouvements, ses déplacements, etc.

2e temps : On repasse la séquence en « gelant » l'image :
— après des plans riches en déplacements (plans séquences, plans avec profondeur de champ), pour demander aux élèves de vérifier les descriptions faites dans un premier temps ;
— après des plans variant « l'échelle » pour demander comment on voit un personnage : de près, de loin, etc.

▷ **Variante**

Pour des séquences dans lesquelles la place des personnages par rapport à des objets et d'autres éléments du décor, est particulièrement importante, on pourra proposer aux élèves de **réaliser** (après visionnement) **un schéma de la séquence,** sur lequel ils indiqueront des éléments de décor, des objets importants, la place des personnages, leurs mouvements.

3.A.7 *bis*. RECONSTITUER UN ITINÉRAIRE

Descriptif

Les élèves ont à **reconstituer l'itinéraire suivi par des personnages,** leurs déplacements d'un lieu à un autre.

▷ **Documents**

Séquences ou **suite de séquences riches en déplacements**, changements de lieux, moyens de transport.
(Tout type de rapport image/son, sauf 4.

Les rapports 1 et 2 pourront présenter dans la bande sonore des indications relatives aux lieux, tandis que dans les rapports 3 et 5 on ne travaillera qu'avec l'image. Elle devra donc être suffisamment informative.)

▷ **Contenu pédagogique**

Situer dans l'espace : orientation, déplacement, direction.

▷ **Déroulement**

Les élèves doivent suivre un/des personnage(s) d'un point de départ à un point d'arrivée.
Un document, ici le plan de Paris, vient aider à suivre un itinéraire. D'autres éléments présents à l'image (cartes, panneaux, etc.) pourront jouer le même rôle.

▷ **Prolongement**

Avec un court ou long métrage de fiction ou un autre document narratif, le travail pourra être enrichi : reconstituer les itinéraires suivis pendant tout le film par différents personnages, indiquer le rôle de ces déplacements, les rencontres, etc.

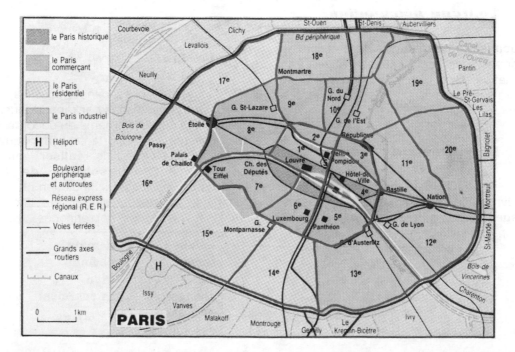

Descriptif

Les élèves ont à **repérer dans une séquence** ou une suite de séquences, **les différents types et supports d'écrits** qui apparaissent à l'écran.

▷ **Documents**

Tout type de document (et tout type de rapport image/son, excepté 4).

▷ **Contenu pédagogique**

Compréhension écrite succincte.
Description d'un cadre, d'une activité.

▷ **Préparation**

L'enseignant choisira des séquences dans lesquelles apparaissent différents types et supports d'écrits :
lettres, journaux, livres, enseignes, panneaux, affiches, etc.

▷ **Déroulement**

On divise la classe en plusieurs groupes. Chaque groupe est prévenu avant le visionnement qu'il doit être attentif :
— au **support** de chaque écrit (journal, enseigne),
— au **contenu de l'écrit**,
— au cadre dans lequel apparaît l'écrit,
— au rôle que peut jouer l'écrit par rapport aux personnages, à l'action, à l'identification d'un lieu, etc.
Après le visionnement, chaque groupe fait part de ce qu'il a observé.
On peut **classer les types d'écrit** rencontrés (écrit de l'environnement, écrit personnel...).

▷ **Exemple**

Entrée libre 2. Reportage « Midi à Paris ».

Le reportage présente un certain nombre d'écrits : lettre tapée à la machine, enseignes de café et de magasins, carton sur une porte de magasin, affiches, cartons au marché.

1re séquence : La lettre.
Support : Lettre tapée à la machine.
Contenu : « Entre 12 h et 14 h, dans un quartier de Paris », titre du reportage.
Rôle : Informations sur :
— le lieu du reportage,
— l'heure de pause dans le travail,
— le métier de l'un des personnages (secrétaire).

ACTIVITÉS D'ATTENTION VISUELLE ET SONORE

3.B Activités d'attention visuelle et sonore

Les activités précédentes étaient entièrement centrées sur l'image alors que celles qui suivent invitent l'élève à mettre en rapport le verbal (le son) et l'image.

Elles doivent permettre un va-et-vient de l'image au verbal et du verbal à l'image.

Dans le cas des messages redondants, l'attention de l'élève sera sans cesse attirée sur le fait que l'image (à travers tous ses éléments : personnages, lieux, objets, etc.) vient l'aider à comprendre le message verbal.

On proposera des activités de mise en relation (3.B.1, 3.B.2, 3.B.3, 3.B.9), de répétition et de reformulation (3.B.5, 3.B.6, 3.B.7), de comparaison (3.B.4, 3.B.8).

Dans le cas de la complémentarité image/son, on invitera l'élève à aller chercher des informations complémentaires dans le message verbal (3.B.10).

Dans le cas de l'autonomie apparente et partielle, on proposera des activités d'associations (3.B.11).

Le souci essentiel, à travers ces démarches, est de rendre l'élève sans cesse actif face à ce qu'il regarde et à ce qu'il entend.

3.B.1 METTRE EN RAPPORT LE SON ET L'IMAGE

Descriptif

L'élève a sous les yeux une transcription de la bande sonore. Il doit **entourer les mots,** groupes de mots, qui sont lus, entendus, et **qui correspondent à des choses vues à l'écran.**

▷ **Documents**

Documents qui présentent une forte redondance entre la voix commentaire et l'image (type de rapport 1).
Séquences de documentaires, de films-méthodes de langue, de films pédagogiques. Films spécialisés (scientifiques, etc.).

▷ **Contenu pédagogique**

Enrichir/tester le vocabulaire à travers la mise en rapport de mots, de phrases et de leurs référents images.
Selon les cas, on pourra travailler des champs sémantiques (vocabulaire de la montagne, dans « La Vanoise » CDF *), le vocabulaire et la syntaxe d'un savoir-faire manuel (dans « Aubusson », « La Ferronerie » CDF, etc.).

▷ **Préparation**

*Dans certains cas (documents pédagogiques), l'enseignant dispose de la **transcription**. Pour d'autres documents, il devra la réaliser lui-même.*

▷ **Déroulement**

Les élèves visionnent une première fois le document (images et son).

* Série « Chroniques de France », CLE International.

Ensuite, **on leur distribue la transcription** et on leur demande s'ils peuvent, **de mémoire, entourer des mots désignant des choses qu'ils ont vues** à l'écran.
On reprojette le document avec la même consigne avant de corriger lors d'un dernier visionnement.

▷ **Prolongement**

Lorsque le canal sonore et le canal-images ne sont pas en permanence redondants, on pourra demander aux élèves d'entourer d'une autre couleur sur leur transcription des mots, groupes de mots, qui ont seulement été entendus.
On en fera le relevé et on s'interrogera sur le fait qu'ils n'ont pas de traduction à l'image : mots abstraits, mots apportant une information complémentaire, etc.

« Chroniques de France : *Aubusson.* »
Extrait du commentaire du film vidéo :
(...) ici des couleurs d'automne, ici les couleurs de la mer, là des *formes géométriques* — on dirait des champs vus d'avion — et voilà *de gentils chevaux, au regard étonné.*

Extrait du film :
A l'image on voit successivement deux tapisseries d'Aubusson : la première abstraite de Agam, la seconde de Don Robert.

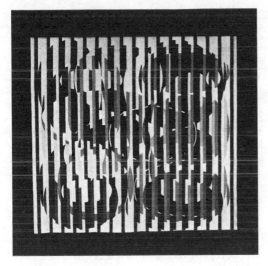

Descriptif

Les élèves doivent **compléter un découpage** qui comprend des cases vides en ce qui concerne l'image ou la bande son (exercice différent du « Scénario incomplet » qui ne portait que sur l'image).

▷ **Documents**

Reportages, documentaires, séquences de films-méthodes de langue.
Rapports image/son 1 ou 2 indispensables.

▷ **Contenu pédagogique**

Approche active d'un dialogue et des éléments situationnels qui lui correspondent. Grâce à la redondance, c'est soit l'image qui permettra de retrouver le verbal, soit le verbal qui permettra de retrouver l'image.

▷ **Préparation**

Le professeur doit préparer un tableau à partir du document qu'il va projeter.
Dans ce tableau, il pourra laisser des cases vides dans la colonne de gauche « Images ». Les élèves devront alors

▷ **Exemple**

ENTRÉE LIBRE 2,
reportage 7.

Images

retrouver à partir du dialogue (transcrit dans la colonne de droite) le contenu de l'image.
Inversement, il pourra transcrire le contenu de l'image dans la colonne de gauche et laisser vide la case de la colonne « Bande sonore ». Les élèves devront alors retrouver le dialogue à partir de l'image.

▷ **Déroulement**

Le tableau est distribué aux élèves avant le visionnement pour qu'ils puissent en prendre connaissance et avoir ainsi l'attention soutenue.
Après deux visionnements, ils devront **remplir de mémoire les cases vides.** Pour les cases images, on demandera un descriptif.
On comparera ensuite les différentes propositions des élèves avant de vérifier lors d'un troisième visionnement (avec arrêts sur image, chaque fois que cela sera nécessaire).

Bande sonore

— Monsieur ! Monsieur ! Vous ne pouvez pas laisser votre voiture là. C'est un parking privé.
— J'en ai pour 5 minutes. Je donne ça et je reviens.
— Bon, 5 minutes, ça va ; mais pas plus !

— Il faudrait une réponse le plus rapidement possible.

— Vous l'aurez en fin de semaine.

Descriptif

Parmi deux ou trois dialogues qui lui sont proposés, **l'élève doit choisir celui qui correspond à la séquence** qu'il aura visionnée et qui lui est présentée sans le son.

▷ **Documents**

Séquences dialoguées de films de fiction, de sketches, de méthodes. *(Type de rapport image/son 1, de préférence.)*

▷ **Contenu pédagogique**

Mettre en rapport le contenu de dialogues et les différentes composantes de la situation de communication explicitées par l'image.
Justifier des choix.
Travailler sur des formulations ou des registres de langue.

▷ **Préparation**

Si l'enseignant ne dispose pas de la **transcription du dialogue,** *il devra la réaliser.*
Dans la (les) version(s) transformée(s) à écarter, il introduira des mots, des phrases qui peuvent porter sur le thème du dialogue ou son pourquoi (intention). Ces variantes doivent rester proches du dialogue original mais elles ne sont pas plausibles quand on regarde ce qui apparaît à l'image.

▷ **Déroulement**

Avant le visionnement, **les élèves prennent connaissance des deux ou trois** dialogues.
Ils visionnent ensuite la séquence sans le son et **sont invités à choisir le dialogue** qui correspond à ce qu'ils ont vu et à justifier leur choix.
Revisionnement et vérifications avec arrêts sur images.

▷ **Variante 1**

Les **dialogues** proposés, tout en restant compréhensibles, pourront être « lacunaires » **(mots ou phrases effacés).**
Une fois le bon dialogue retenu, les élèves devront le compléter lors d'un deuxième visionnement sans le son (en faisant donc des hypothèses).
Vérifications lors d'un troisième visionnement.

▷ **Variante 2**

L'enseignant peut aussi proposer le choix entre trois courts dialogues de **registres différents** (familier, usuel, soutenu) et ce sont des éléments présents à l'image (habillement, cadre de l'échange, gestes...) qui permettront à l'élève de faire son choix.

3.B.4. ÉTUDE SÉPARÉE DE L'IMAGE ET DU SON

Descriptif

Un groupe visionne le document vidéo sans le son et doit imaginer le contenu linguistique de la bande sonore tandis qu'un **autre groupe écoute la bande sonore seule** et doit imaginer le contenu des images.
Les deux groupes se rencontrent ensuite et analysent leurs propositions.

▷ **Documents**

Séquences présentant une forte redondance entre le son et l'image *(type de rapport 1)* : films de fiction, documentaires, films-méthodes de langue.

▷ **Contenu pédagogique**

Pour le groupe 1, **production linguistique** induite par les images : réalisation de dialogues ou de voix commentaire.
Pour le groupe 2, **compréhension orale** et travail de caractérisation (personnes, lieux, etc.) ou de description, induit par les éléments linguistiques de la bande sonore.

▷ **Préparation**

L'enseignant devra **enregistrer la bande sonore de la séquence** *sur une cassette audio qu'il mettra à la disposition du groupe 2.*

▷ **Déroulement**

On divise la classe en deux groupes.
Le groupe 1 reste dans la salle du magnétoscope et va visionner la séquence en coupant le son du moniteur-téléviseur. Il est prévu qu'il doit après deux visionnements **imaginer les dialogues** ou la voix commentaire correspondant à la séquence.
(Il doit aussi prendre suffisamment de notes sur les images pour pouvoir corriger ensuite la production du groupe 2.)
Le groupe 2 s'installe dans une autre salle et va écouter au magnétophone la bande sonore de la séquence. Il a pour tâche de **réaliser** après deux écoutes **un découpage succinct** (lieux, objets, personnages, actions, etc.) correspondant à ce qu'il a entendu.
(Il doit aussi prendre des notes relatives à la bande sonore pour pouvoir corriger ensuite la production du groupe 1.)
Les deux groupes se retrouvent.
Le groupe 1 propose sa bande sonore au groupe 2 et justifie ses choix ; le groupe 2 signale les différences qu'il peut y avoir avec l'original. Même chose pour les propositions du groupe 2 portant sur l'image. On visionne enfin la séquence avec images et son.

> *Descriptif*

Aidés par l'image, les élèves doivent **imaginer et travailler l'intonation d'un dialogue écrit** avant de l'interpréter.

▷ **Documents**

Séquences dialoguées, dans lesquelles l'intonation est importante et liée à des mimiques, des gestes et à la situation. Films de fiction, sketches, courts extraits de débat TV, méthodes.

▷ **Contenu pédagogique**

Travail intonatif aidé par toute une série d'éléments situationnels.

▷ **Préparation**

S'il ne dispose pas de la transcription du dialogue, l'enseignant la réalisera et la présentera « nue » (sans ponctuation, majuscules, etc.) pour qu'il soit plus facile aux élèves d'y porter des marques spécifiques de l'oral (pauses, reprises de souffle, etc.).
On aura, d'autre part, intérêt à laisser une large marge sur la droite pour que les élèves puissent y noter des indications.

▷ **Déroulement**

On distribue la transcription du dialogue avant le **visionnement (sans le son),** en indiquant aux élèves que pendant celui-ci, ils devront **être attentifs à tous les éléments non verbaux** (mimiques,

gestes, déplacements) et à tous les autres indices situationnels (objets, actions qui doivent susciter l'étonnement, la colère, l'interrogation, etc.) et qui permettent d'en déduire telle ou telle marque intonative.
On demande ensuite à des élèves d'**interpréter le dialogue avec l'intonation** choisie.
On note au tableau les différentes remarques qu'on confronte ensuite au document original (images et son).

▷ **Exemple**

Premier appel
« Allô allô chérie c'est moi comment qui moi Georges c'est Georges hein quoi non mais enfin mais attendez coupez pas je demande le 28 (communication coupée) »

Nouvel appel

« Allô allô ma chérie comment c'est moi encore moi oui c'est moi encore moi enfin qui êtes-vous à la fin Oh vous savez j'peux être grossier j'peux comment j'ai peut-être une voix d'imbécile mais vous savez ce qu'il vous dit l'imbécile... »

Descriptif

2 groupes :
Un groupe d'élèves doit **rapporter certaines répliques d'un dialogue à un autre groupe** qui ne les a pas entendues.

▷ **Documents**

Séquences dialoguées à deux personnages. Il est souhaitable qu'on ait dans ces séquences des « champs/contre-champs » cadrant chaque personnage au moment où il parle.
Interviews, films de fiction, unités de films-méthodes de langue.

▷ **Contenu pédagogique**

Discours rapporté.

▷ **Déroulement**

1re formule :
On divise la classe en deux groupes.
Le groupe 1 sort de la classe.
Le groupe 2 visionne la séquence intégrale (son et images).
(Une moitié du groupe peut centrer son attention sur ce que dit le personnage A, l'autre moitié sur ce que dit le personnage B.)

Les deux groupes se retrouvent et visionnent la séquence sans le son.
Après chaque échange ou chaque réplique, on arrête la bande et le groupe 1 demande au groupe 2 de lui rapporter ce que disaient les personnages. Le groupe 2 utilise le style indirect : « il/elle lui disait que/de... ». Le groupe 1 essaie de retrouver le dialogue. On vérifie par un visionnement intégral.

2e formule :
Le groupe 2 visionne la séquence intégrale (son et images) et porte une attention particulière à ce que dit le personnage B.
Le groupe 1 qui était absent revient et les deux groupes visionnent ensemble la séquence.
Après chaque intervention de A vue et entendue, on arrête la bande.
Le groupe 1 n'entend donc que le personnage A et demande au *groupe 2* de lui rapporter ce que répond le personnage B.
Le groupe 1 doit trouver les répliques exactes.

3.B.7. DIALOGUES ET PERSONNAGES

Descriptif

2 groupes ou plus
Chaque groupe est invité à suivre les propos d'un personnage, avant de **répéter/paraphraser** ces propos à partir de l'image muette.

▷ **Documents**

Séquences dialoguées à plusieurs personnages.
Éviter les conversations avec chevauchements.
Films de fiction, sketches, unités de films-méthodes de langue. (Les rapports image/son 1 et 2 faciliteront la tâche d'élèves de niveau moyen, tandis qu'avec des élèves de niveau avancé, on pourra exploiter des documents présentant le rapport 4 : débats, tables rondes.)

▷ **Contenu pédagogique**

Avec l'aide de l'image : répéter, paraphraser des propos.

▷ **Préparation**

L'enseignant devra **préparer une petite fiche descriptive pour chaque personnage :** *âge, statut ou profession, détails physiques ou vestimentaires, signes particuliers qui permettront de le repérer lorsqu'il apparaîtra à l'écran (sans oublier de noter l'ordre d'apparition du personnage dans la séquence).*

▷ **Déroulement**

La classe sera divisée en autant de groupes qu'il y a de personnages.
Chaque groupe choisit son personnage à partir des fiches. Il doit suivre ensuite ce qu'il dit pendant les deux premiers visionnements.
Au cours du troisième visionnement, on coupe le son et on met l'image en ralenti pour qu'un membre de **chaque groupe** puisse **répéter ou reformuler ce que disait son personnage.**
On pourra demander ensuite une restitution jouée de la séquence.

▷ **Variante**

Cette variante est centrée sur la mise en relation et non sur la répétition/reformulation.
On remet à chaque groupe autant de fiches descriptives qu'il y a de personnages dans la séquence.
On remet, d'autre part, des cartons sur lesquels sont portés des extraits des dialogues prononcés par les différents personnages.
Les élèves prennent connaissance de ces cartons avant le visionnement.
Ils ne doivent prendre aucune note pendant le visionnement.
Après le visionnement, ils doivent **apparier chaque fiche personnage avec les cartons dialogues qui lui correspondent.**

3.B.8. COMPARER DES DIALOGUES

Descriptif

Amener les élèves à **analyser les différences** qu'il peut y avoir **entre différents dialogues** produits dans des situations très proches.

▷ **Documents**

Séquences de films de fiction, de sketches, d'unités de films-méthodes de langue.

▷ **Contenu pédagogique**

Repérer les différences linguistiques (lexique, registres, notions, intentions), prosodiques (accent, débit, intonation) et non verbales qu'il peut y avoir entre des dialogues produits dans des situations voisines et analyser ce qui, dans chaque situation filmée, occasionne ces différences.

▷ **Préparation**

L'enseignant devra **monter bout à bout** sur une cassette vidéo **des séquences présentant des situations identiques ou voisines :** séquences de repas, de rencontre, etc.
(Dans les films de fiction, les variantes situationnelles pourront être plus importantes que dans les unités de méthodes de langue. Il sera néanmoins plus aisé de comparer des séquences de méthodes à caractère forcément plus fonctionnel.)

▷ **Déroulement**

1) **On passe les deux séquences à comparer sans le son,** en ayant au préalable demandé aux élèves de repérer tout ce qui varie d'une séquence à l'autre en termes situationnels : moment, lieu, statuts et comportements des personnages. On consigne au tableau les différentes remarques.

2) Avant le visionnement intégral (son et images), on répartit en trois groupes le travail qui devra être mené :
— un groupe analysera les **différences de contenu** linguistique entre les deux dialogues,
— un autre groupe relèvera les **différences concernant l'intonation,** l'accent, le débit,
— un dernier groupe sera attentif aux **différences non verbales** (gestes et mimiques).

3) On essaie de comprendre les différences linguistiques en se reportant aux différences situationnelles repérées en 1.

▷ **Exemple**

Deux arrivées à l'hôtel.
1) Un couple décontracté, sortant d'une voiture de sport (plan précédent), arrive à l'hôtel.
Réceptionniste attentif, couple à l'aise :
H. : Nous voudrions une chambre.
R. : Mais certainement, monsieur, nous allons vous donner la meilleure chambre.
F. : Oh, darling...
R. : Chasseur, la suite 102.

2) Un couple arrive à pied, portant des valises (plan précédent).
Réceptionniste, air ennuyé ; couple mal à l'aise.
H. : Nous voudrions une chambre...
(Pas de réponse du réceptionniste.)
H. : Nous voudrions une chambre.
R. : Vous avez réservé ? (Ton sec.)
H. : Ah, ben non. (Ton gêné.)
R. : Alors il n'y a rien, nous sommes complets ! Désolé...
H. : Complet, complet... (Ton implorant.)

Descriptif

En écoutant la bande sonore, composée exclusivement de musique et de bruits, d'un document vidéo (sans en voir les images), les élèves doivent, soit **retrouver le contenu des images** correspondantes s'ils ont déjà vu le document, soit imaginer ces images si le document n'a pas été visionné.

▷ **Documents**

Documentaires. Publicités, vidéo-clips, interludes.

▷ **Contenu pédagogique**

Caractériser des personnes, des actions, des situations à partir d'une ambiance sonore.
Faire des hypothèses.

▷ **Préparation**

*L'enseignant **enregistrera la bande sonore** du document vidéo sur une cassette audio. Il peut s'en dispenser s'il travaille sur une seule séquence, en cachant l'écran de télévision ou en faisant le « noir », (en mettant à zéro le bouton de luminosité).*

▷ **Déroulements**

1) Retrouver ce qu'on a déjà vu.
Après le visionnement intégral d'un document, l'enseignant proposera la bande sonore (musique et bruits) seule de quelques séquences importantes en demandant :
— de retrouver le contenu des images correspondant à chaque bruit ou à chaque « phrase musicale »,
— d'indiquer si la musique était en relation :
   - avec le temps (saut chronologique, « flash-back », etc.),
   - avec l'action (suspense...),
   - avec un personnage,
   - avec un lieu.
De la même façon, on pourra travailler sur des bruits présents dans la bande sonore, en demandant de retrouver : les déplacements, les objets, les actions avec lesquels ces bruits étaient en rapport.
2) Imaginer ce qu'on va voir.
La bande sonore d'un document riche en bruits informatifs pourra être passée avant le visionnement et les élèves auront à imaginer les situations, les actions liées à ces bruits.

3.B.10. À LA RECHERCHE D'INFORMATIONS COMPLÉMENTAIRES

Descriptif

Les élèves doivent **découvrir dans la bande sonore des informations complémentaires** à celles délivrées par l'image.

▷ **Documents**

Documentaires, reportages, films pédagogiques, films spécialisés. *(Impérativement, type de rapport image/son 2.)*

▷ **Contenu pédagogique**

Compréhension, expression orales. Identifier, caractériser, situer dans le temps, l'espace.

▷ **Préparation**

La nature des documents rendra l'activité plus ou moins difficile (voir chap. 2, 2.2.2). Certains documents, les plus faciles, contiennent beaucoup d'informations à l'image et seulement quelques informations complémentaires dans la bande son.
Le cas inverse sera à éviter, tandis qu'un rapport équilibré sera le plus intéressant. Dans le cas de la première formule ci-dessous, l'enseignant établira une liste des informations données par l'image.

▷ **Déroulement**

1re formule :
On propose aux élèves une liste de lieux, de personnes, d'objets, d'actions qui apparaissent à l'écran, mais qui ne sont pas, par l'image seule, entièrement identifiables.

Lors du visionnement avec le son, les élèves doivent **relever et inscrire face à chaque élément de la liste le supplément de caractérisation** que lui a donnée la **bande sonore.**

2e formule :
On propose aux élèves les questions : Qui ? Quand ? Où ? Quoi ? Comment ?
Lors d'un premier visionnement sans le son ils doivent **relever dans la colonne « Images » les informations livrées par l'image.**
Au cours d'un deuxième visionnement avec le son ils vont **noter dans la colonne « Voix commentaire » les informations complémentaires que leur livre la bande sonore.**

▷ **Exemple**

Extrait d'un journal télévisé : « C'est à Paris qu'a eu lieu le défilé le plus important, pendant près de trois heures. Ce matin, vingt mille personnes environ ont marché dans le calme de la République à Palais-Royal. Objectif : faire pression sur le gouvernement pour revoir à la hausse la politique salariale. Beaucoup de monde mais peu d'enthousiasme. Les slogans lâchés par les mégaphones n'étaient guère repris par les manifestants. Cette manifestation avait lieu à l'appel de la C.G.T., de la Fédération de l'Éducation nationale et des Autonomes. Plusieurs fédérations de la C.F.D.T. étaient là aussi, mais les militants de Force ouvrière tenaient, eux aussi, un meeting à la Bourse du travail. »

	Informations données par l'image	Informations complémentaires apportées par le commentaire
Qui ?	Manifestants, fonctionnaires, syndicalistes C.G.T., C.F.D.T., F.E.N. (informations grâce aux banderoles).	Sigle F.E.N. détaillé. Autonomes. Absence des militants de Force Ouvrière.
Nombre	Difficile à évaluer.	20 000 personnes environ ; beaucoup de monde.
Quand ?	Rien.	Ce matin, pendant près de 3 heures.
Où ?	Paris (grâce à un intertitre) ; rues.	À Paris, de la République à la Bastille.
Quoi ?	Manifestation ; rassemblement.	Défilé ; ont marché ;
Comment ?	Rien de particulier.	Dans le calme ; peu d'enthousiasme ; slogans guère repris.
Pourquoi ?	Pour de réelles négociations.	Faire pression... salariale.

▷ **Variante**

« Voix OFF. »

L'enseignant montera bout à bout sur une cassette audio les passages de voix commentaire OFF.

Pour chaque passage de voix commentaire OFF, qu'on fera écouter une ou deux fois, les élèves devront :
— essayer de **retrouver à quel moment** du film qu'ils ont vu précédemment, **se situait cette voix,**

— **indiquer le rôle que jouait** la voix OFF :
- situer dans l'espace : « Nous sommes à Genève... »,
- situer dans le temps : « en octobre 1945... », « six mois plus tard... »,
- raconter ce qui s'est passé pendant une ellipse : « X partit pendant quelques mois en voyage »,
- expliquer un retour en arrière : « des années avant, quand il était étudiant... »,
- présenter des personnages : « X était architecte... ».

Descriptif

À partir d'une liste de mots et/ou de phrases, les élèves sont invités **à reconnaître ce qui appartient à la bande sonore et ce qui appartient à la bande images.**
Ils ont ensuite à se prononcer sur les rapports existant entre les éléments de ces deux messages.

▷ **Documents**

Séquences-documents présentant une autonomie entre les deux messages image/son. (Type de rapport 3.)
Documentaires, reportages, vidéoclips. Interviews illustrées de documents. Publicités métaphores.

▷ **Contenu pédagogique**

Classer puis opérer des rapprochements. Exprimer la cause. Justifier des choix.

▷ **Préparation**

L'enseignant mettra **dans une même liste des mots, des phrases** *correspondant à des objets/lieux/personnes uniquement* **vus à l'écran** *et d'autres mots, phrases qui ont été uniquement* **entendus dans la bande sonore.**
Ces éléments ne doivent pas porter sur des détails, mais sur des points forts (mots/images clefs) de la bande images et de la bande sonore.

▷ **Déroulement**

1) Classement
Les élèves prennent connaissance de la liste avant le visionnement.
Après celui-ci, ils doivent **classer dans une colonne ce qui correspond à ce qui a été vu,** dans une autre ce qui correspond à **ce qui a été entendu.**
Un second visionnement permettra de vérifier si le classement était correct.

2) Associations/Mises en relation.
a) Dans le cas de l'autonomie apparente (voir 2.2.3.a), on demandera aux élèves de trouver dans la colonne « images » des éléments qui sont en rapport symbolique, métaphorique avec des éléments de la colonne sonore.
[Voir exemple du vidéoclip de Renaud (2.2.3.a). Il s'agira ici de mettre en rapport certains éléments livrés par l'image (homme seul, plage désertique) avec le refrain de la chanson.]
b) Dans le cas de l'autonomie partielle (voir 2.2.3.b), il s'agira de repérer des rapports logiques entre les éléments des deux colonnes.

Contrairement à ce qui se passe pour la complémentarité (fiche 3.B.10), l'image ne vient cependant qu'illustrer le thème général du documentaire ou du reportage et non ce qu'on en dit dans le détail.

Pour ce reportage sur la réforme du crédit, les élèves mettront en rapport les mots « billets de banque » et « banques » figurant dans la colonne « *Images* » avec des mots relatifs au « crédit » figurant dans la colonne « *Son* ».

ACTIVITÉS D'ATTENTION AU NON-VERBAL

3.C Activités d'attention au non-verbal

L'image mobile présente le très gros avantage par rapport à l'image fixe (photos, dessins) de nous restituer le non-verbal dans son intégralité.

Les déplacements, les gestes, les regards, les mimiques toujours figés dans l'image fixe, nous sont ici présentés dans leurs enchaînements.

Certes, selon les documents, l'authenticité du non-verbal peut être plus ou moins grande

dans le sketche, le non-verbal sera souvent « outré », dans certains films de fiction, il sera « stylisé », dans certaines émissions de télévision, il sera codifié mais jamais, pour autant, il ne cessera de signifier.

L'on voit donc bien comment les documents vidéo qui nous restituent l'ensemble des composantes non verbales, vont fournir à l'élève un vaste champ d'observation.

Il ne s'agit pas de le transformer en spécialiste du non-verbal, mais il est essentiel que dans l'apprentissage d'une langue, il soit capable :

— de repérer des manifestations non verbales qui viennent en redondance du linguistique et l'aideront dans l'accès au sens,

— de repérer des signes non verbaux qui signifient par eux-mêmes et qui peuvent être particuliers à un système culturel, à un groupe ou à un pays,

— de mieux comprendre, en analysant la façon dont il utilise le non-verbal, les comportements d'autrui.

Les techniques d'observation et les activités proposées dans les pages qui suivent, poursuivent ces objectifs.

3.C.1 OBSERVATIONS AUTOUR DU NON-VERBAL

> **Descriptif**
>
> Selon les documents et le niveau des élèves, on proposera des activités les invitant à **observer et analyser** des **comportements non verbaux** significatifs.

▷ **Documents**

Tout document dans lequel le non-verbal (en autonomie ou en complémentarité avec le langage), semble important.
Films de fiction, débats, interviews.
(Tout type de rapport image/son.)

▷ **Contenu pédagogique**

Sensibiliser les élèves **au rôle** essentiel **du non-verbal** dans la communication
Mettre en rapport le **non-verbal** et le **verbal**.
Mieux **caractériser autrui** dans ses attitudes, ses sentiments, ses intentions à partir du non-verbal.

▷ **Préparation**

*On s'attachera à **choisir** des documents dans lesquels **certains codes cinématographiques** (voir 2.3) mettent en valeur le non-verbal : cadrages, plans rapprochés, champ/contrechamp.*
La nature des activités variera évidemment selon le type de documents :
Un débat télévisé présente, par exemple, des traits non verbaux (gestes pour donner/prendre la parole, mimiques d'accord/de désaccord), qu'on ne retrouvera pas forcément dans un sketche ou dans une séquence de film de fiction qui présente plutôt des réactions non verbales de type émotionnel.

Dans la liste des paramètres d'observation qui suit, on choisira donc, selon les documents, les « entrées » les plus adéquates.

▷ **Paramètres d'observation**

Nous regrouperons les phénomènes non verbaux à observer sous trois grandes catégories :

a) **Le non-verbal comme langage en soi** (expression à travers un geste, une mimique, d'une émotion, d'une intention, etc.).

b) **Le non-verbal comme métalangage :** le non-verbal a alors pour rôle de préciser ou de modifier le verbal.

c) **Le non-verbal se substituant (momentanément ou pas) au langage verbal :** un geste signifie ce que signifierait un mot, une phrase.
On pourra donc repérer dans une séquence, un document :
a) — *les gestes, les mimiques* qui traduisent une émotion, une intention,
— *les regards* traduisant l'intérêt, la surprise, la colère la connivence l'indifférence...,
— *les postures* des personnages traduisant : détente/tension/neutralité...,
— *les attitudes* paraissant liées à des codes sociaux, à des codes médiatiques,
— *les situations* des personnages les

uns par rapport aux autres, les changements de place, les rapprochements, les éloignements traduisant des réactions, des sentiments ;

b) — *les gestes, les mimiques* ayant la même signification et *appuyant ce qui est dit* (haussement de sourcils pour accompagner l'expression du doute, sourire accompagnant un propos ironique, geste d'ouverture accompagnant une invite à entrer quelque part, etc.),
— *les gestes, les mimiques contredisant ce qui est dit* (sourire accompagnant un propos désagréable),
— *les gestes, les mimiques liés au déroulement d'un échange* (geste pour faire comprendre qu'on veut prendre la parole, geste montrant qu'on cède la parole, etc.),
— *les gestes montrant ce dont on parle* (« tu vois là-bas cette maison... ») ;

c) — *les gestes, les mimiques remplaçant le verbal* (un geste de la main pour dire de ne pas entrer, d'attendre...).

▷ *Déroulements*

Les paramètres présentés ci-dessus pourront induire différents types de consignes et d'activités :

a) Repérages
Avant le premier visionnement, on demande aux élèves de **relever** durant celui-ci, **les éléments non verbaux** qu'on juge importants dans la séquence. Lors d'un deuxième visionnement, les élèves demandent qu'on arrête sur l'image, chaque fois qu'ils ont trouvé un élément intéressant. Ils justifient leurs remarques.

b) Analyses du sens
On visionne la séquence sans le son et le professeur ou les élèves font un arrêt sur image chaque fois qu'il y a une manifestation non verbale qui leur paraît intéressante.
Ils doivent alors **faire des hypothèses sur le sens du geste ou de la mimique.** On vérifie par un visionnement avec le son.

c) Analyses des causes/conséquences
Après avoir repéré lors d'un visionnement pré-pédagogique des manifestations non verbales intéressantes, l'enseignant dresse pour chaque personnage (numéroté selon son ordre d'apparition) **une liste des causes vraisemblables de ces manifestations.**
Aux élèves de retrouver les marques non verbales correspondantes.

	Causes	Réactions non verbales
P1	Propos ironiques	?
P2	Impatience (alors que **P1** parle encore)	?
	Propos : irritation	?
P3	Veut prendre la parole	?
	Désaccord	?
P1	Veut signifier qu'il n'a rien à ajouter.	?

Dans le cas b) : redondance entre le non-verbal et ce qui est dit, on pourra bien sûr mettre dans une autre colonne les formulations linguistiques.

▷ *Prolongements*

a) Dans le prolongement de l'activité proposée (en 3.B.8) sur la comparaison de dialogues, on pourrait **comparer des scènes identiques** (repas, rituels familiaux) dans des milieux sociaux différents. On analyserait alors les différences non verbales.
(Les films de fiction peuvent être un bon support pour ce type d'activités.)

b) Il est aussi possible, à un niveau avancé, de **travailler sur des manifestations non verbales liées à des particularités régionales.**
Des documents extraits de films de fiction ou d'interviews, témoignages de la télévision, permettront de sensibiliser les élèves au fait qu'on ne communique pas partout exactement de la même manière.

c) En ce qui concerne les codes médiatiques, il serait intéressant, grâce à un montage d'extraits d'émissions de télévision, de **voir que la communication non verbale est très liée à certains genres d'émissions** (ou même à des rubriques dans une émission) :
Dans un Journal télévisé, par exemple, l'attitude du présentateur vedette sera relativement figée contrairement à celle plus décontractée des responsables sportifs ou du présentateur météo.
Le non-verbal fonctionne donc, ici, en parallèle avec une hiérarchisation de l'information.

b) Il serait enfin intéressant d'**observer** à la télévision **les manifestations non verbales liées à l'établissement d'un contact avec le téléspectateur.**

Descriptif

Sur une transcription qu'il a sous les yeux, l'élève, après le visionnement du document, doit **porter des indications relatives au non-verbal.**

▷ **Documents**

Séquences de films de fiction. Sketches. Courts métrages. Unités de films-méthodes de langue.

▷ **Contenu pédagogique**

Mettre en relation le verbal et le non-verbal.
Caractériser autrui dans ses attitudes, ses gestes.
(L'élève disposant d'une transcription n'est pas accaparé par la compréhension orale et peut se concentrer entièrement sur les manifestations non verbales.)

▷ **Préparation**

Si l'enseignant choisit une séquence d'un film auquel correspond un scénario-découpage édité (dans « l'Avant-Scène », par exemple), il mettra un cache sur toutes les indications concernant le non-verbal avant de photocopier le document. Dans les autres cas, il réalisera la transcription de la bande sonore en la dispo-sant sur une colonne à gauche pour que dans la colonne de droite, les élèves puissent porter leurs observations sur le non-verbal.

▷ **Déroulement**

a) Étude du dialogue
Avant le visionnement, on distribue aux élèves la transcription. On étudie avec eux le dialogue.
Il faut, en effet, que les élèves aient bien compris le dialogue avant le visionnement.

b) Étude du non-verbal
Les élèves **visionnent la séquence sans le son** pour prendre connaissance de la situation et faire des premiers repérages sur le non-verbal (sans être distraits par la bande sonore).
À l'issue d'un second visionnement (son et images), les élèves doivent **porter sur la transcription toutes les indications** sur le non-verbal qui leur semblent importantes.
On compare les remarques de chacun et on les confronte ensuite au découpage original (lorsque celui-ci existe !).

Descriptif ————————————————————

Après avoir observé le comportement non verbal d'un personnage dans une séquence, l'élève est invité à **mimer** ce personnage.

▷ **Documents**

Séquences dans lesquelles le comportement non verbal est riche et les personnages bien individualisés par la caméra. Sketches télévisuels et de méthodes. Films de fiction.

▷ **Contenu pédagogique**

Attention active au non-verbal.
L'image mobile qui fait entrer l'élève dans le monde de la « représentation », semble jouer un rôle de « déblocage » pour ce type d'activité.

▷ **Déroulement**

— **Avant le visionnement,** on donne aux élèves quelques indications pour l'observation : l'élève devra être attentif :
— aux postures, mouvements, gestes, mimiques, regards de son personnage,
— à la place des personnages, aux déplacements, au rapport à l'espace...
Chaque élève sait qu'il doit choisir l'un des personnages et faire le maximum d'observations puisqu'il devra ensuite interpréter son rôle.
— **Visionnement** avec ou sans le son selon les cas.
— **Mime** des personnages.
Lorsqu'un élève mime un personnage, les autres doivent retrouver de quel personnage il s'agit.

▷ **Exemple**

Les Minichroniques : Le Petit Cinéma.

Le directeur assis : Je double votre salaire, Bouchard ! Restez dans la maison, je vous en prie.
Le directeur assis : Vous vouliez me voir Bouchard, asseyez-vous, mais j'ai très peu de temps.

▷ **Prolongement**

Tout type de travail de « **dramatisation** » (au sens théâtral).

ACTIVITÉS DE PRODUCTION ORALE ET ÉCRITE

3.D Activités de production orale et écrite

En 3.A, la part de production/verbalisation était relativement restreinte.

En 3.B, elle était déjà plus importante mais restait limitée à des répétitions/reformulations, des mises en relation, des comparaisons.

Dans la section qui suit, la production va être systématique.

Christian Metz note que l'image mobile « est un excellent inducteur de comportements verbaux » [1] et Geneviève Jacquinot que « l'image seule peut être mise au service d'une pédagogie de l'expression linguistique » [2].

Il serait donc regrettable de n'utiliser l'image, surtout l'image mobile, que comme auxiliaire de la compréhension orale (grâce à des documents présentant une redondance entre les deux messages image et son).

C'est pourquoi nous proposons des activités de production orale et écrite de différents types :

— Productions dirigées, induites par l'image (fiches 3.D.2, 3.D.3) ou par des consignes (3.D.5) avec variations sur les types de discours.

— Productions relevant de formulations d'hypothèses (3.D.1, 3.D.6).

— Productions plus libres permettant l'expression personnelle de l'élève (3.D.4, 3.D.7, 3.D.8).

1. Metz (Ch.), « Images et pédagogie », *Communications 15,* page 165, Seuil, 1970.
2. Jacquinot (G.), « Image et langage », *Langue française n° 24,* page 86, Larousse, 1976.

Descriptif

Demander aux élèves d'**imaginer la suite, la fin,** les ellipses, etc., d'un document vidéo narratif.

▷ **Documents**

Séquences de films de fiction, de feuilletons TV, de séries TV, de dramatiques TV. Certains documents d'information narratifs : faits divers, reportages.

▷ **Contenu pédagogique**

Compréhension et expression : faire des hypothèses, caractériser, raconter, rapporter des événements passés, imaginer des événements futurs.

▷ **Préparation**

Repérer des séquences à forte implication narrative.

▷ **Déroulement**

Les élèves visionnent le début d'un document (images et son), que l'on arrête au moment où une suite narrative est attendue.

Par groupes, ils résument la séquence visionnée et sont invités à **imaginer ce qui va suivre :** que vont faire les personnages ? De nouveaux personnages vont-ils intervenir ? Dans quels lieux ? À quel moment ? Pour quoi faire ? etc.

Les hypothèses peuvent être consignées par écrit et présentées ensuite au reste de la classe.

On visionne ensuite la/les séquence(s) suivante(s) pour voir si les hypothèses des élèves sont validées ou invalidées.

▷ **Variantes**

a) On arrête le document vers la fin, juste avant le dénouement de l'intrigue.

Les élèves sont invités à **imaginer les différents dénouements** possibles, en fonction de tout ce qui a précédé (rapports des personnages, etc.).

b) *Que s'est-il passé ?*

Dans un document, on saute d'une séquence « C » à une séquence « F » et l'on demande aux élèves d'**imaginer ce qui s'est passé entre ces deux séquences** (c'est-à-dire le contenu des séquences « D » et « E »).

3.D.2. IMAGINER DES DIALOGUES

Descriptif

Les élèves doivent **imaginer les dialogues** qui correspondent à une séquence visionnée sans le son.

▷ **Documents**

Séquences de films de fiction, de feuilletons, de dramatiques. Unités de films-méthodes de langue.
[Types de rapports image/son : 1 indispensable pour a) ; 2 pour b) ; 3 pour c).]
Les champs/contrechamps, plans rapprochés, gros plans centrant bien l'attention sur les personnages qui parlent, seront utiles.

▷ **Contenu pédagogique**

Analyser les différentes composantes d'une situation de communication. Relever des indices. **Produire des énoncés.**
Dans les cas b) et c), faire certaines hypothèses sur des échanges langagiers.
Comparer les dialogues imaginés **aux dialogues originaux :** analyser les similitudes, les différences.

— objets
— personnages   } **explicitent**
— lieu
— gestes

① ce dont on parle (thème).

② pourquoi on en parle (intention).

▷ **Préparation**

a) Les scènes ou séquences relevant du **type de rapport 1** (redondance) seront les plus faciles à exploiter.
En effet, tous les éléments situationnels présents à l'image induisent fortement la nature des échanges :

Dans cet **exemple :**
1) (thème évident) : argent, billet, monnaie ;
2) (intentions évidentes) :
demander si on a quelque chose,
répondre qu'on n'a pas ;

b) Dans des scènes ou séquences présentant le **type de rapport 2** *(complémentarité), l'image pourra expliciter le thème de l'échange sans l'intention ou l'inverse.*

Pour produire les dialogues, les élèves auront alors à faire des hypothèses soit sur le thème, soit sur l'intention.

Dans cet **exemple,** *le thème est évident : voiture en réparation.*
Par contre, il peut y avoir diverses intentions.

Deux possibilités, par exemple :
— demander si une voiture en réparation est prête,
— demander si on peut prendre une voiture en réparation ;

c) Les séquences contenant le **type de rapport 3** *(autonomie) pourront ne présenter aucun élément induisant un type d'échanges plutôt qu'un autre.*

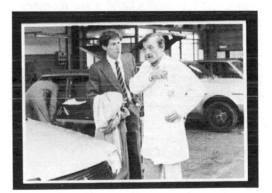

Les élèves seront alors invités de façon plus créative à proposer plusieurs énoncés possibles.

Mais dans certains cas, le contexte antérieur (rapports entre les personnages, échanges qu'ils ont déjà eus) permettra de prévoir la nature des échanges.

Dans cet **exemple,** *ce qui a précédé (recherche d'un travail, offre d'un travail et nécessité de s'y rendre tout de suite), permet de deviner en partie ce que se disent les deux personnages.*

Christian : — Ça y est ! C'est une librairie dans le septième. Il faut que j'y aille tout de suite.
Alain : — J'ai le temps. Je t'emmène ?
Christian : — Ah, c'est gentil ! Oui.

▷ Déroulement

On indique aux élèves qu'ils devront observer pendant les deux premiers visionnements sans le son, tous les éléments (objets, lieux, personnages) qui peuvent les aider à deviner ce dont on parle et pourquoi on en parle.

Dans le cas c), on passera la dernière scène sans le son après avoir visionné (images et son) ce qui précède.

Chaque élève (ou chaque groupe) **écrit** ensuite **« son » dialogue** et le propose au reste de la classe.

On pourra demander aux élèves de **classer les dialogues proposés du plus vraisemblable au moins vraisemblable.**

Enfin, on visionnera la séquence (images et son) pour pouvoir **confronter le dialogue original aux productions** des élèves (qui auront pu être inscrites au tableau).

▷ Variante

On pourra aussi travailler non plus sur des scènes ou des séquences entières, mais sur des **morceaux de dialogues :**

— passer les propos d'un personnage avec le son et demander d'imaginer la réplique ;

— passer la réplique avec le son et demander d'imaginer les propos qui précédaient.

3.D.3. RÉALISER UNE VOIX COMMENTAIRE

Descriptif

Après avoir visionné sans le son un document vidéo, les élèves sont invités à **réaliser la voix commentaire** qui accompagnera les images.

▷ **Documents**

— Reportages télévisés. Documentaires.
(Pour l'activité A, type de rapport image/son 2 et pour l'activité B, type de rapport 1.)
— Documents narratifs : séquences de films de fiction, feuilletons, sketches pour les variantes. (Types de rapports : 1, 2 et 5.)

▷ **Contenu pédagogique**

Expression orale et écrite : décrire, identifier, caractériser.
Varier le ton d'un énoncé. Changer le point de vue.

▷ **Préparation**

*Comme nous l'avons vu, les voix commentaires peuvent relever de la redondance (voir fiche 3.B.1) et/ou de la complémentarité (voir fiche 3.B.10).
(Les documents pédagogiques à voix commentaire utiliseront plus la redondance, tandis que les documents authentiques utiliseront plus la complémentarité.)*
— *Pour l'***activité A,** *on choisira un document présentant un* **rapport de complémentarité.** *Le professeur relèvera dans le commentaire le maximum d'informations objectives, en dresse une liste qu'il communiquera aux élèves dans le 2ᵉ temps de l'activité A (cf. ci-dessous).*
— *Pour l'***activité B,** *on choisira un document à* **voix commentaire redondante.**

— *Pour* **les variantes** *on choisira un* **document narratif** *avec un personnage présent du début jusqu'à la fin.*

▷ **Déroulements**

A. Réaliser une voix commentaire
— Lors d'un premier visionnement sans le son, les élèves doivent **relever les lieux et les personnes** (en les numérotant selon leur ordre d'apparition), pour lesquels ils estiment avoir besoin d'informations supplémentaires pour faire un commentaire.
— **Les élèves reçoivent ensuite une liste** contenant ces informations dans le désordre. Ils doivent trouver à quels éléments du document (précédemment relevés) correspond chaque information. Le professeur peut éventuellement répondre directement aux questions.
— **Ils réalisent, enfin,** par écrit, **la voix commentaire :**
  - en décrivant l'image de façon redondante s'ils le souhaitent,
  - en utilisant toutes les informations complémentaires.
Les voix commentaires seront lues ou enregistrées sur magnétophone et comparées ensuite à la voix commentaire originale.

Dans **cet exemple** (éléments de la transcription, présentés dans le désordre), les élèves peuvent avoir besoin des informations « objectives » en italique :

— pour la **photo 1 :** pour le Pont-Neuf, nous avons enrobé cette *structure de 270 m, 21 m de large, 13 m de haut* et la toile va effacer en grande partie les détails du pont ;

— pour la **photo 2 :** nous avons employé des *charpentiers*, des *alpinistes*, des *hommes-grenouilles*. À peu près *1 500 personnes* ont travaillé avec nous.

B. Jouer sur le ton du commentaire
Les élèves visionnent le document sans le son.
— Après un ou deux visionnements, **ils réalisent une voix commentaire** qui se contente de décrire/raconter ce qui apparaît à l'image.
— Ils peuvent ensuite (facultatif) **comparer leur production à la voix commentaire originale** dont on leur remettra une transcription.

Commentaire en voix « OFF ».
Le vol relatif est un jeu, qui consiste à se regrouper en chute libre avec plusieurs équipiers et à se rejoindre en s'agrippant, c'est-à-dire en se tenant par les bras ou par les jambes, à l'aide de prises de main.
Là, pour cette tentative de record d'Europe, nous sommes partis avec 80 personnes, dont 73 pour le concours. Pendant la montée de l'avion, chaque équipier revoit en mémoire chacune des phases de son approche, y compris son comportement dans la formation.
Donc, le jeu consiste pour les premiers à se positionner et pour les suivants à venir se placer dans un ordre précis, préalablement étudié au sol, pour faire que cette ronde, ce ballet aérien, puisse se faire de bonne façon.
Là, c'est un ballet de haute tenue, puisqu'il faut faire un « sans faute » avec tous les participants.

La vitesse de l'évolution de cette formation pendant la phase chute libre se situe aux environs de 180 à 200 km/heure.
Le record d'Europe est donc battu et nous espérons très prochainement augmenter cette performance.

On leur demande enfin de jouer sur le ton de la voix commentaire : changement ton sérieux/amusé/pathétique/critique, etc.
— **Ton pathétique :** « Nous sommes à sept mille mètres et vivons un moment terrible : les hommes en chute libre, vont-ils arriver à se rejoindre ?... »
— **Ton critique :** « Quelques inconscients essayent de battre un record... », etc.

▷ **Variantes**

Contradiction
Pour certains documents (comme les publicités), on pourra proposer aux élèves d'inventer une voix commentaire qui contredise systématiquement l'image et qui utilise le ton du dénigrement permanent.

Changement de point de vue
Pour un document narratif dans lequel un personnage principal est présent du début jusqu'à la fin, on pourra proposer d'élaborer une voix commentaire qui ne sera plus à la troisième personne mais à la première.
Il pourra raconter ce qui lui arrive de façon neutre ou bien livrer ses sentiments.

Les Minichroniques : l'angoisse.
Le document narre les angoisses de M. Bouchard qui part en voyage.
On remplacera la voix commentaire du document par le récit fait par M. Bouchard, soit sur le mode angoissé, soit sur le mode amusé, etc.

3.D.4. RÉCIT LIBRE D'UNE SÉQUENCE

Descriptif

Après avoir visionné une séquence, les élèves doivent **faire par écrit, un récit libre** de ce qu'ils ont vu.

▷ **Documents**

— **Séquences narratives :** films de fiction, dramatiques de télévision, feuilletons, reportages, faits divers. (Tout type de rapport image/son, sauf 4.) Des montages chronologiques jouant sur l'ellipse, les événements parallèles, etc. (voir chap. 2), pourront être de bons « déclencheurs » d'expression à un niveau avancé.

— **Séquences descriptives** (documentaires). Elles pourront être utilisées, mais donneront lieu, non plus à un récit, mais à un résumé.

▷ **Contenu pédagogique**

Décrire. Raconter. Caractériser des personnages, des lieux. Situer dans le temps. Rapporter les paroles d'autrui.

▷ **Déroulement**

Les élèves visionnent deux fois la ou les séquences (avec le son) et sont invités à en faire le récit.
Aucune consigne particulière concernant ce récit n'est donnée.

Les récits sont ensuite lus et analysés par la classe.
En dehors des problèmes de correction linguistique laissés pour le moment de côté, on s'attachera à analyser avec les élèves les différences qu'il peut y avoir dans les récits en ce qui concerne notamment :

— **l'ordre du récit :** certains choisissent l'ordre chronologique, d'autres l'ordre inverse ;

— **le montage** du récit : certains interprètent une ellipse d'une certaine façon, d'autres autrement ;

— **les temps employés** pour le récit : certains raconteront au présent, d'autres au passé ;

— **le choix des événements :** certains privilégient certains événements, en oublient, etc. ;

— **la caractérisation** des personnes, des lieux : plus ou moins fouillée selon les cas ;

— **l'attention portée à la bande sonore** et les différentes façons de rapporter les paroles des personnages : discours direct, indirect, etc. ;

— **l'attention portée au non-verbal.**

3.D.5. RÉCIT DIRIGÉ D'UNE SÉQUENCE

Descriptif

Les élèves doivent **faire le récit ou le résumé** d'une séquence ou d'un document qu'ils viennent de voir **en respectant certaines consignes.**

▷ **Documents**

Tout document. (Tout type de rapport image/son, sauf 4.)

▷ **Contenu pédagogique**

Décrire, raconter, résumer, développer.
Varier le type d'écrit, le ton d'un récit.

▷ **Déroulements**

A. Variations sur la longueur du récit
À partir du visionnement d'un même document, on demandera aux élèves de rédiger :
— le résumé le plus court possible,
— un résumé de taille moyenne (nombre de mots défini),
— un résumé « amplifiant » les informations du document (maximum de détails, etc.).

B. Variations sur les types d'écrits
Après visionnement d'un document, on demande aux élèves de rédiger :
— **un résumé neutre et court** pour une fiche filmographique ou un programme de télévision paru dans la presse,
— **un résumé appréciatif** (article critique) pour un journal (éléments positifs et négatifs),
— **un résumé appréciatif** vantant le document dans un but **publicitaire.**

On pourra comparer les productions des élèves pour certains documents à des textes/articles que le professeur peut trouver (fiches d'*Aujourd'hui en France,* descriptifs d'émissions dans la presse).

▷ **Variante**

Dans le cas de l'**adaptation cinématographique d'une œuvre littéraire,** on pourra faire rédiger le résumé d'une séquence que l'on comparera ensuite au chapitre ou à la scène correspondante du roman.

Variations sur le ton du récit
Comme pour la voix commentaire, on pourra demander aux élèves de varier le ton du récit : ton neutre/ironique/critique, etc.

Autres variations
On pourrait enfin demander de varier :
— les énonciateurs : récit fait par le spectateur, par un personnage présent dans la séquence, etc. ;
— les temps du récit : raconter au présent, au passé ;
— l'ordre du récit par rapport à l'ordre des événements du document.

Descriptif

À partir de la transcription de la bande sonore d'un document vidéo qu'ils n'ont pas encore vu, les élèves doivent **réaliser** le projet écrit de **sa mise en images.**
Ils confrontent ensuite leur projet au document original.

▷ **Documents**

Publicités TV, reportages, séquences de films de fiction, d'adaptations cinématographiques d'œuvres littéraires.
(Document présentant un rapport de redondance entre canal-images et canal sonore.)

▷ **Contenu pédagogique**

Compréhension écrite : découpage du sens du texte.
Expression écrite : caractérisation de personnes, de lieux, d'objets, d'actions ; fréquente situation dans l'espace.
Expression orale : point de vue, comparaison.

▷ **Préparation**

Pour les publicités comme pour les reportages, l'enseignant devra **réaliser** *lui-même* **la transcription** *à partir de l'enregistrement de la bande sonore.*
La transcription sera proposée « nue » **(sans ponctuation** *ou marques de pause) pour ne pas influencer les choix de l'élève lorsqu'il va « découper » le texte.*

▷ **Déroulement**

a) Par groupes ou individuellement, les élèves sont d'abord invités à **découper le texte de la transcription** en fonction des images qu'ils veulent faire correspondre à celui-ci.
En face des parties correspondant au découpage du texte, ils doivent donc **indiquer le contenu des plans** qu'ils imaginent : personnages, objets, lieux, actions.
Ils doivent aussi **signaler** quel sera **le traitement du texte** dans la bande sonore : texte dit par une personne à l'écran (voix IN), dit par une personne qu'on ne voit pas à l'écran (voix OFF) et s'il y aura de la musique ou des bruitages particuliers.
b) Ensuite, **chaque élève** ou chaque groupe **lit son « scénarimage »,** justifie son découpage et ses choix.
c) **Le document original est** alors **projeté** et, en face de la transcription de la bande sonore (il vaudra mieux distribuer une nouvelle photocopie de celle-ci), les élèves notent le découpage et le scénarimage original.
Grâce aux apports des élèves, on établit en commun au tableau le « scénarimage » du document original.
On analyse et on commente différences et ressemblances.

Transcription de la bande-son

« *Dites-moi comment vous faites pour donner tout son goût à votre café instantané probablement après la première cuillère vous en rajoutez encore un peu non Imaginez un café très riche en goût très riche en arabica Maxwell qualité filtre si riche que dès la première cuillère vous avez déjà tout son bon goût de café Maxwell qualité filtre ce n'est pas la peine d'en rajouter Maxwell qualité filtre dès la première cuillère tout le bon goût du café.* »

Scénarimage élèves

TEXTE	BANDE SONORE	CONTENUS IMAGES
« Dites-moi... café instantané	Personnage A à l'écran	Personnage A : femme brune, grande, jolie, assise sur la terrasse d'une maison coloniale. À côté d'elle, table et café servi.
probablement... non.	Voix OFF du personnage A	Personnage B : homme, quarantaine, dans salle de rédaction. Entouré de journalistes. Il se lève, se dirige vers un meuble-bar et rajoute du café dans sa tasse.
maintenant... Arabica.	Voix OFF du personnage A	Décor tropical, plantation de café, récolte du café.
Maxwell ;... rajouter	Partie chantée	
Maxwell... café. »	Personnage B à l'écran	Gros plan sur le personnage B tapant à la machine et s'interrompant pour lever sa tasse d'un air satisfait.

Scénarimage original :

« Dites-moi... instantané.	Personnage A à l'écran	Personnage A, quarantaine, tenue sport, quitte coin salon (où se trouvent trois amis), pour venir près d'un buffet. Brandit une cuillère en regardant le téléspectateur.

probablement... *non.*	Voix OFF de A	Gros plan sur une main qui rajoute du café dans une tasse.
maintenant... *de café.*	Personnage A à l'écran + musique	Personnage A prend une autre boîte de café.
Maxwell.. *filtre.*	Chanté	Gros plan sur le visage satisfait de chaque invité.
dès la première... *du café. »*	Voix OFF	

▷ **Variantes**

a) **Films de fiction**

Documents : Séquences d'un film de fiction présentant un rapport de redondance et pour lequel on dispose de la transcription (de « l'Avant-Scène », par exemple).

Préparation : L'enseignant remettra aux élèves une photocopie de la transcription. Il aura enlevé toutes les indications concernant les lieux, les mouvements et attitudes des personnages.

Déroulement :

Face à ce dialogue « nu », les élèves doivent trouver avant le visionnement :
— le cadre du dialogue ;
— le physique des personnages, leurs attitudes, leurs déplacements, etc.
On visionne ensuite. Confrontation, analyse.

b) **Adaptations cinématographiques de textes littéraires**

Documents : Les séquences utilisées doivent être très fidèles au texte qui est transposé à l'écran (c'est souvent le cas des adaptations de la télévision).

Déroulement : Le passage romanesque sous les yeux, les élèves procèdent comme pour la publicité : élaboration d'un scénarimage et confrontation à l'original.

c) **Mise en images d'un canevas**

Documents : Sketches télévisuels. Séquences courtes de films de fiction. Unités de méthodes vidéo.

Déroulement : On distribue aux élèves un petit canevas situationnel et linguistique correspondant à une séquence qu'ils vont voir (ce petit canevas a été réalisé par l'enseignant lors du visionnement prépédagogique).

Les élèves doivent, comme précédemment, imaginer le contenu des images avant de visionner le document.

┌─ *Descriptif* ─────────────────────────

Les élèves sont invités à **choisir dans un document** qu'ils viennent de visionner **une séquence** qui les a particulièrement intéressés. Ils doivent ensuite **décrire la séquence** et **expliquer leur choix**.

▷ **Documents**

Films de fiction, dramatiques, feuilletons, séries.
Les documents narratifs de fiction (de par la variété possible des lieux, des personnages et des actions) seront appropriés à cette activité.

▷ **Contenu pédagogique**

A) Raconter, décrire. Caractériser lieux, personnes, actions.
Situer un événement par rapport à un autre.

B) Donner son opinion. Justifier ses choix.

▷ **Déroulement**

Après visionnement, individuellement ou par groupes, **les élèves choisissent une séquence** du document qu'ils présenteront à la classe en ayant pris des notes relatives au contenu de la séquence et aux critères de choix retenus.

A) **Descriptif de la séquence**
L'élève y répondra aux questions :
Qui ? Quoi ? Où ? Quand ?
Il situera la séquence dans la narration.
Il pourra avoir à rappeler l'essentiel des échanges langagiers.

B) **Critères de choix**
Les critères de choix pourront porter sur :
— l'intérêt narratif de la séquence (suspense ou séquence attendue) ;
— le jeu des acteurs ;
— la présence de certains personnages ;
— la mise en scène...
Lorsque les mêmes séquences auront été retenues par plusieurs élèves, on comparera les descriptifs et les critères de choix.

▷ **Prolongement**

On pourra demander aux élèves de **rédiger ces « commentaires »** à partir de leurs notes et l'on mettra bout à bout les « commentaires » de toutes les séquences.
(Le dossier ainsi constitué pourra servir à d'autres classes.)

Descriptif

Après la projection d'un document entier, la classe se divise **en deux groupes.**
Chaque groupe **prépare des questions sur le film** et pose à l'autre groupe ses questions.

▷ **Documents**

Documents narratifs (films de fiction, feuilletons, certains reportages), documentaires.
(Tout type de rapport image/son, sauf 4.)

▷ **Contenu pédagogique**

Caractériser. Situer dans le temps, l'espace. Interroger.

▷ **Préparation**

Cette activité est à distinguer de 3.A.5 qui portait sur une seule séquence et seulement sur un objet, un lieu ou un personnage.
Ici, **les élèves élaboreront le questionnaire** *censé « coller » l'autre groupe, à partir d'un document entier et en posant toutes les questions qu'ils souhaitent (narration, temps, personnages, etc.).*

(L'enseignant devra revoir les questionnaires pour éviter qu'il y ait trop de questions semblables dans les deux groupes, ce qui appauvrirait l'activité.)

▷ **Déroulement**

Après un visionnement en commun, on divise la classe en deux groupes.
Chaque groupe prépare une série de questions auxquelles **l'autre groupe doit répondre** et inversement.

▷ **Variante**

Pour des documents courts :
On présente le thème général du document à un groupe 1 qui ne va pas voir le film.
Ce groupe a pour tâche de préparer des questions auxquelles le groupe 2 devra répondre après avoir vu le document.
Ensuite, visionnement en commun.
Le groupe 1 doit dire si les réponses du groupe 2 étaient effectivement correctes.

Descriptif

Les élèves doivent **situer dans le temps des événements** présentés dans un document.

▷ **Documents**

Documents narratifs :
— de fiction : films, feuilletons, séries ;
— fabriqués : unités films-méthodes ;
— réels : faits divers, reportages.
Documentaires historiques. Films péda-gogiques (histoire, instruction civique).

▷ **Contenu pédagogique**

Situer des actions dans le temps, de façon plus ou moins complexe.

▷ **Préparation**

Pour la première activité, l'enseignant aura intérêt à **choisir un document riche en événements et indications temporelles.** *Ces indications peuvent venir de la bande sonore (dialogues, voix commentaire) ou de la bande images (montre, calendrier, journaux).*
Pour la variante 1, on choisira des documentaires historiques, des « recons-titutions » historiques ou des films (péda-gogiques) d'histoire.
Pour la variante 2, on choisira un document de fiction comportant retours en arrière et sauts en avant.

▷ **Déroulement**

On remet aux élèves une page d'agenda ou de calendrier, en les prévenant qu'après un ou deux visionnements, **ils auront à porter sur cette page,** soit l'**emploi du temps** d'un personnage, soit une **série d'actions** ou d'événements.
Pour chaque notation, ils devront indiquer s'ils ont pu le savoir grâce à ce qu'ils ont vu (V) ou entendu (E).

▷ **Variante 1**

Pour un document historique, les élè-ves doivent relever tous les éléments qui permettent de situer le temps de référence.
On pourra constituer trois groupes, cha-que groupe ayant en charge l'une des rubriques suivantes :
a) Observer les éléments linguistiques présents à l'image :
— journaux/lettres datées/calen-driers/intertitres.
b) Être attentif aux éléments contenus dans la bande sonore :
— jours/mois/années contenus dans la voix commentaire ou dans les dialogues.
c) Observer les indices présents à l'image :
— costumes/moyens de locomotion/édi-fices, etc.

▷ **Variante 2**

Pour des documents dans lesquels l'**ordre des événements du récit ciné-matographique** ne coïncide pas toujours avec l'**ordre chronologique** des événe-ments de l'histoire (fictive ou réelle), on pourra demander aux élèves :
— d'indiquer les retours en arrière (« flash-backs ») dont ils se souviennent après le visionnement ;
— pour chacun de ces retours en arrière, ils doivent :
  - indiquer dans quelle séquence, et à quel moment du film, ils intervenaient,
  - quel était leur contenu (qui ? quoi ? quand ?, etc.),
  - quelle était leur fonction.

LE JOURNAL TÉLÉVISÉ, LA PUBLICITÉ, L'INTERVIEW

Beaucoup des activités déjà présentées peuvent être menées avec des documents extraits de Journaux télévisés, d'interviews ou de publicités.

Il nous a néanmoins paru important de dégager, à travers une phase d'analyse, la spécificité de ces genres télécinématographiques pour mieux aider l'enseignant dans l'analyse et le choix des documents.

Après cette analyse, nous proposons pour les trois genres (Journal télévisé, publicités, interviews) des activités qui, elles aussi, nous semblent spécifiques et adaptées aux types de documents avec lesquels elles seront menées.

4.A Le Journal télévisé : analyse

Le Journal télévisé (JT) semble être l'un des documents vidéo les plus utilisés dans la classe de langue.

Cela s'explique sans doute par le fait qu'au niveau du contenu, il s'apparente aux documents authentiques déjà largement exploités (presse, radio) et, qu'en conséquence, l'enseignant se sent moins « démuni » qu'avec d'autres documents vidéo [1].

Pourtant, comme le soulignent plusieurs auteurs [2], le JT est un genre difficile : le canal sonore y est souvent prédominant, les rapports entre canal-images et canal sonore sont parfois faibles et le rôle de l'implicite important.

Il n'en reste pas moins vrai qu'en raison de la variété et de la richesse des thèmes abordés et des discours présentés, le JT semble pouvoir être dans la classe un auxiliaire intéressant, tant sur le plan linguistique que sur le plan socio culturel.

Pour tenter de voir quel est le meilleur parti que l'on peut en tirer, nous analyserons d'abord son fonctionnement, en en dégageant les avantages et les inconvénients pour une exploitation, avant de proposer *des activités pédagogiques*.

4.A.a. Fonctionnement

Plutôt que de prendre un exemple de JT (les JT variant d'une chaîne à l'autre), nous préférons présenter les différentes « constructions » que l'on retrouvera tour à tour dans un JT ou dans un autre.

4.A.a.a. Les titres du Journal

Le Journal s'ouvre sur **les titres principaux** (rarement plus de cinq à six titres). C'est le **présentateur vedette** (PV) qui les annonce selon des formules qui varient d'une chaîne à une autre.

☐ **1re formule :** Présence à l'écran du présentateur vedette dans un encadré, sur un fond générique (carte du monde, etc.), avec le texte du titre figurant sous l'encadré.

☐ **2e formule :** PV absent. Voix OFF de celui-ci sur une image fixe ou animée, accompagnée du texte du titre. C'est la présentation la plus fréquente.

4.A.a.b. Le développement

Pour chaque partie correspondant à chaque titre (et qui en constitue le développement), ainsi que pour d'autres nouvelles qui n'ont pas été annoncées en titre (mais qui seront présentées), on peut avoir :

a) **Présence à l'écran du PV** qui développe l'information.

Dans certains cas, des images fixes figurant à droite ou à gauche de l'écran accompagnent le commentaire.

Ensuite, et selon les cas, on aura :

b.1) **Le PV annonce : « commentaires de.., explications de..., reportage de... »,** et **suit un reportage** (images + voix commentaire du journaliste dont le nom apparaît généralement à l'écran). Le reportage peut comporter des interviews, des témoignages.

b.2) **Le PV annonce : « Analyse de... ».**

Un journaliste spécialisé vient sur le « plateau », aux côtés du PV, pour faire une analyse/un commentaire de l'information.

Il peut s'agir d'un monologue, ou un dialogue peut s'instaurer entre le PV et le journaliste dont le nom a figuré à l'écran, en début d'intervention.

Il arrive que, dans son exposé, le journaliste s'aide d'une carte, d'un graphique.

b.3) **Le PV annonce « X a interrogé Y » :**

Interview d'une personnalité. Son nom apparaît à l'écran, de même que celui du journaliste. L'interview peut être accompagnée d'images.

b.4) C'est la **voix commentaire** (OFF) du PV qui accompagne des images (souvent d'archives).

[Il faut noter que, selon l'importance de l'information, on pourra trouver après a), une seule de ces formules (b.4, par exemple, dans le cas d'une nouvelle pour laquelle on n'a pas eu le temps de faire de reportage) ou bien les trois formules réunies (b.1, b.2, b.3) pour une information importante.]

Ce fonctionnement global du Journal télévisé peut se schématiser dans le tableau suivant :

	Personne qui parle	Nature bande sonore	Contenu discours	Contenu images	Linguistique à l'image
TITRES **1re formule**	PV	Voix IN	Titre	PV dans encadré Fond carte du monde	Titre
2e formule	PV	Voix OFF	Titre	Image fixe,ou mobile	Titre
DÉVELOP- **PEMENTS** a	PV	Voix IN	Dévelop- pement information	Image fixe + ou − redondante	O
b.1	Journaliste = correspon- dant	Voix commentaire OFF	Commentaire image + ou − redondant	Images de reportage	Nom du journaliste Lieu
b.2	Journaliste spécialisé	Voix IN	Analyse Commentaire	Journaliste + plateau	O (quelquefois carte ou schéma)
b.3	Personne interviewée	Voix IN ou OFF sur des images	Analyse Témoignage	Personne interviewée + quelquefois images	Nom de la personne
b.4	PV	Voix OFF commentaire	Commentaire + ou − redondant	Images d'archives	O

4.A.b. Inconvénients et avantages du JT sur le plan pédagogique

□ **Traitement surtout verbal**

À la lecture de ce qui précède, on constatera facilement que certaines parties du JT semblent privilégier le linguistique par rapport à l'image (le dit par rapport au montré).

C'est le cas notamment **des titres** 1re formule dans lesquels toute l'information passe par le canal sonore et le titre.

Il faut signaler cependant :

— qu'il ne s'agit que de titres qui seront développés par la suite,

— que le titre écrit peut être mis en rapport par l'élève avec l'annonce du présentateur,

— qu'enfin, cette formule est beaucoup plus rare que la seconde.

Dans **le développement,** les cas a, b.2 et b.3 présentent, eux aussi, un traitement surtout verbal.

En ce qui concerne a), l'intervention du PV peut être particulièrement difficile à comprendre pour les élèves, notamment s'il y a analyses, citations.

Cela étant, il ne faut pas sous-estimer **le rôle du contexte.** Un titre 2e formule, assez explicite, permettra aux élèves de faire un certain nombre d'hypothèses sur ce que dit le PV en attendant le reportage.

L'image fixe, quant à elle, joue un rôle plus ou moins important.

Certaines sont de simples images « prétexte » qui n'apportent aucun ancrage au discours tenu par le PV, tandis que d'autres, plus riches, livrent une information sur le lieu, la personne ou l'événement dont on est en train de parler.

Dans les cas b.2 et b.3, le traitement est aussi essentiellement verbal, sauf si — comme c'est parfois le cas — le journaliste s'aide d'une carte ou d'un schéma qui peuvent être informatifs.

Là encore, **le rôle du contexte** peut être important. Souvent, en effet, l'intervention d'un journaliste spécialisé ou l'interview apparaissent après un reportage (b.1) qui aura « ancré » la compréhension de l'élève.

☐ **Traitement complémentaire**

Reste maintenant à savoir si **l'image vient** réellement **aider les élèves** dans la compréhension du message verbal, dans le cas des titres 2e formule et dans les développements b.1 et b.4.

Cela dépend en fait des documents :

Dans le cas du titre 2e formule, **l'image** fixe ou mobile accompagnant l'annonce de l'événement, pourra être **plus ou moins informative.**

De l'image très informative (accident d'avion, à laquelle il manque cependant le où ?, le quand ? et le comment ?) à l'image seulement compréhensible pour les « autochtones » (personnalité politique peu connue), il y aura toute une gamme d'images montrant ce dont il est question (thème), mais rarement ce qu'on en dit (intention, contenus des échanges).

Dans le cas b.1 et b.4, les rapports entre l'image et le verbal seront aussi très variables :

Dans certains cas, il y aura redondance, dans d'autres complémentarité (voir 2.2.1, 2.2.2).

— D'autres documents-images moins riches apporteront simplement la caractérisation d'une personnalité, d'un groupe dont on est en train de parler.

— D'autres enfin, « plaquées » sur des informations pour lesquelles on manquait de documents, joueront simplement un rôle de remplissage.

4.A.c. *Choix des documents*

Ces quelques éléments d'analyse (et le tableau ci-dessus) devraient aider l'enseignant dans son analyse prépédagogique du Journal télévisé et le choix des activités.

Nous pensons avoir aussi montré que le JT constitue un tout et que souvent, grâce au contexte, les parties les plus difficiles (titres 1re formule, développements b.2 et b.3) pourront tout de même être abordées.

Ainsi **le JT dans son intégralité pourra être utilisé** pour les activités A.1, A.3, A.4, A.5, A.6.

Pour des activités nécessitant redondance ou complémentarité (voir activités déjà proposées en 3.B et 3.D), on préférera des JT privilégiant les développements sous forme de reportages ou de documentaires.

Références citées : 1. et 2. Compte, Mouchon, *Décoder le JT*, BELC, 1984.

Descriptif

Les élèves doivent **signaler à quelle rubrique appartient chaque partie** du Journal et **donner un titre.**

▷ **Documents**

Journaux TV présentant **des reportages (b.1) riches en images informatives** (et en rapports de redondance ou de complémentarité avec la bande sonore).
Éviter les nouvelles contenant trop d'implicites et, dans le cas d'exploitations en différé, les informations trop liées à une actualité immédiate.
Il n'est pas nécessaire d'utiliser un Journal entier.

▷ **Contenu pédagogique**

Compréhension orale facilitée par l'image.
Mise en rapport d'indices images et d'indices verbaux pour remplir la tâche.
Expression orale : décrire, raconter, expliquer, justifier.
Expression écrite : rédaction des titres.

▷ **Préparation**

L'enseignant devra **préparer une liste des rubriques habituelles** d'un Journal TV (voir plus bas), qu'il pourra inscrire au tableau ou remettre aux élèves sous forme de photocopies.

▷ **Déroulement**

On projette le Journal (images et son) sans sa première partie « Titres ».
On arrête la cassette après chaque partie du développement et l'on demande aux élèves de **noter à quelle rubrique appartient la séquence** qu'ils viennent de voir et de lui donner un titre.
Mise en commun : chacun justifie ses choix de rubrique et de titre.
La classe choisit les deux meilleures listes de titres.
Visionnement du Journal complet avec ses titres.

▷ **Variante**

Toujours en visionnant le Journal, sans sa partie « Titres », on peut proposer une **liste de titres et de rubriques dans le désordre.**
Les élèves doivent, pour chaque séquence, retrouver le titre et la rubrique.

	— internationale
Politique	— nationale
	— régionale

Économie,
Société,
Culture
Sports...

Descriptif

En visionnant la séquence météo d'un JT, les élèves doivent **remplir/corriger une carte météo** qu'ils ont sous les yeux.

▷ **Document**

Séquence météo du JT.

▷ **Contenu pédagogique**

Vocabulaire de la météo. Situation dans l'espace. Expression du futur.

▷ **Préparation**

L'enseignant photocopiera, soit **une carte de France** *« muette », soit* **la carte météo** *d'un quotidien qu'il remettra aux élèves.*

▷ **Déroulement**

Les élèves prennent connaissance de la carte qu'ils ont sous les yeux, ce qui est surtout important lorsque des indications (petits soleils/nuages... et « logos » des cartes météo) y sont déjà portées.

Lors d'un premier visionnement sans le son, ils doivent être attentifs aux indications portées sur la carte du Journal TV. Après un deuxième visionnement (images et son), ils sont invités à **remplir ou corriger la carte photocopiée,** en fonction des informations qu'ils ont relevées à l'image et dans la bande sonore.

▷ **Variante 1**

À partir de **la séquence météo passée sans le son** et grâce à toutes les indications portées sur la carte qui apparaît à l'écran (températures, soleils, etc.), les élèves doivent **réaliser la bande sonore** ou un résumé météo pour la presse.

▷ **Variantes 2**

— Certaines séquences du JT (départs en vacances : **itinéraires** conseillés/déconseillés ; plages : les points noirs de l'été) permettent aussi de mettre en rapport les informations contenues dans une séquence et une carte distribuée aux élèves.
— Avec des JT où l'information internationale est importante, on pourra également distribuer aux élèves une **carte du monde** sur laquelle, à l'issue du JT visionné intégralement, ils auront à situer les différentes informations internationales.

Descriptif

Repérage dans un JT des différents **locuteurs,** de leur statut et des types d'énoncés.

▷ **Document**

Journal télévisé visionné intégralement.

▷ **Contenu pédagogique**

— Objectif essentiel : permettre une première « entrée » dans le JT et sensibiliser à la diversité des locuteurs et des énoncés.
— Identifier grâce à l'image et au son des locuteurs.
— Repérer les différents types d'énoncés grâce à différents indices (à l'image et dans la bande sonore).

▷ **Préparation**

*L'enseignant pourra **utiliser la grille ci-dessous** telle quelle.*

Il aura simplement, selon les journaux, à changer les patronymes de la colonne de gauche.
Il est évident qu'il ne retiendra pas tous les locuteurs du JT, mais seulement ceux qui interviennent à des moments clefs du JT et dans les parties que l'enseignant compte ensuite exploiter.

▷ **Déroulement**

Les élèves **prennent connaissance de la grille** et les différents termes employés leur sont expliqués.
Ils visionnent ensuite le JT qu'on arrête après chaque partie (titres, développement de chaque titre) **pour qu'ils puissent remplir la grille.**
Mise en commun, puis vérification avec revisionnement.

LOCUTEURS	IDENTIFICATION						STATUTS							TYPES D'ÉNONCÉS							
(Patronymes) ↓	Vu et entendu	Seulement vu	Seulement entendu	Seulement nommé	Cité	Patronyme à l'écran	Présentateur	Journaliste spécialisé	Envoyé spécial	Reporter	Témoin	Personnalité politique	Autres	Présentation d'informations	Récits	Récits + commentaires	Commentaires	Analyses	Interview	Témoignage	Point de vue personnel, très appréciatif
Bruno Mazure	X				X	X	X							X							
Abbé Pierre					X							X									X
Claude Estier	X				X							X					X				
J. Aboùchar		X											X								
Marc Lizidour	X				X						X						X				

(Exemples pris dans JT de TF 1, 4 novembre 1984.)

4.A.4. RÉALISER LE PLAN D'UN JOURNAL

┌─ *Descriptif* ─────────────────────────

Les élèves ont sous les yeux les **différentes informations** correspondant à un Journal télévisé qu'ils vont visionner plus tard.
Ils doivent **les mettre en ordre, prévoir leur traitement** et **comparer ensuite à l'original.**

▷ **Document**

Journal télévisé entier contenant des **informations variées** et facilement « dénotables ».

▷ **Contenu pédagogique**

Compréhension écrite des nouvelles.
Expression écrite et orale.
Analyser, comparer.

▷ **Préparation**

Lors du visionnement prépédagogique, l'enseignant devra **relever les différentes informations** *du Journal télévisé.*
Il les présentera aux élèves dans un ordre qui n'est pas celui du Journal, sans titre et avec un court descriptif.

▷ **Déroulement**

Par groupes, les élèves doivent d'abord **choisir les informations** les plus impor- tantes qui seront annoncées dans la par- tie « titres » du Journal. Ils doivent donc choisir les titres ainsi qu'un ordre de pré- sentation de ces titres. Ils doivent ensuite **envisager le type de traitement** que ce titre aura dans la partie « développe- ment » : reportage (b.1), interview (b.3), etc. (voir analyse 4.A).
Chaque groupe présente ensuite **son projet de Journal télévisé** qui est noté au tableau.
On visionne le Journal (images et son) et l'on analyse les différences et les ressem- blances entre les projets et l'original.

▷ **Variante**

Bien que ce soit beaucoup plus difficile pour le professeur de réunir tous les documents, le travail pourra être plus riche si **les élèves disposent des cou- pures de presse** correspondant aux informations traitées dans le Journal.

4.A.5. LE JT ET SON CONTEXTE MÉDIATIQUE

Descriptif

Comparer les informations télévisées, radiophoniques et écrites.

▷ **Documents**

Journaux télévisés. Bulletins radiophoniques. Quotidiens.

▷ **Contenu pédagogique**

Classer, analyser, comparer des informations.

▷ **Préparation**

Réunir un corpus d'informations du *même jour présentes* **dans trois médias.** *(Certains centres de recherche peuvent disposer de ce type de corpus.)*

▷ **Déroulement**

a) **Visionner tout d'abord le Journal télévisé.**
Relever les informations, leur ordre d'apparition, l'importance respective qui leur est donnée (développements avec interviews, reportages, etc.).
b) **Rechercher ensuite dans la presse écrite et les bulletins radio les informations communes.** Analyser le mode de traitement propre à chaque média, l'importance donnée à chaque nouvelle selon le média, les similitudes/différences.
c) Lorsqu'un média a retenu une information qu'un autre média n'a pas retenue, en chercher la raison : information plus visualisable par la télé, etc.

▷ **Variante 1**

Le recours au contexte médiatique d'un JT peut être plus « léger ».

On pourra, par exemple, **mettre en rapport un reportage télé** sur un thème de société **avec un article** d'hebdomadaire traitant du même sujet.
(Les cas ne sont pas rares et l'intérêt socioculturel évident.)

▷ **Variante 2**

Sondages, enquêtes
La télévision peut se faire l'écho ou annoncer des sondages, des enquêtes qu'on retrouvera dans la presse.
Les documents presse serviront alors à une sensibilisation avant visionnement ou à un prolongement après l'émission.

▷ **Exemple**

La 2e chaîne de télévision a programmé, le 30 octobre 1985, une émission, **« F comme Français »,** au cours de laquelle un sociologue classait les Français en cinq grandes familles socio-politico-culturelles.
Ce classement était réalisé à partir des réponses données à un test auquel avait été soumis une centaine de Français.
Ensuite, sur le plateau, cinq vedettes du monde des spectacles et cinq personnalités politiques répondaient au même test.
Ce test, qui a largement été diffusé dans la presse cette semaine-là, a été proposé à des élèves de F.L.E. qui l'ont rempli avant le visionnement (en différé) de l'émission.
L'interprétation aux réponses du test n'avait pas été donnée et, c'est seulement en visionnant l'émission, qu'ils ont pu reconnaître leur « famille » et analyser de façon active le discours de chacun des invités ainsi que les analyses du sociologue.

Descriptif

Comparer des JT de différentes chaînes, au niveau du fond (informations) comme au niveau de la forme.

▷ **Documents**

Journaux télévisés du même jour, mais **de chaînes différentes** et, éventuellement, Journal télévisé dans la langue maternelle des élèves.

Si la comparaison porte uniquement sur la forme, on peut choisir des JT qui ne sont pas du même jour, mais de chaînes différentes ou de pays différents.

▷ **Contenu pédagogique**

Identifier, caractériser des personnes, des événements, des lieux.
Classer, comparer. (Discours rapporté.)

▷ **Préparation**

Enregistrer les différents JT.
Pour mener les activités, on utilisera des outils présentés en 4.A.

▷ **Déroulement**

a) Lorsque la comparaison porte sur **la forme** du JT, on observera :
— **les présentateurs**
leur nombre (un seul présentateur vedette/plusieurs ?) :
  - leur rôle ? (chacun a-t-il une rubrique ?)
  - leur temps de présence à l'écran ?

— **le type de présentation des titres :**
  - avec images/sans images ?
  - images fixes/images mobiles ?
  - écrit d'appui ;
— **les types de développements.**

b) Lorsque la comparaison porte sur des JT du même jour, pour les informations communes, on comparera **le traitement de l'information** par chaque chaîne :

— **quelle place occupe l'information** dans la hiérarchie des titres ?

— **comment est développée l'information :**
  - pour une information importante, il peut y avoir :
  - sur une chaîne : reportage + intervention de spécialiste + interviews,
  - sur une autre chaîne : simplement reportage ;

— **les images** illustrant les titres, les reportages, sont-elles les mêmes ou sont-elles différentes ?
— s'il y a des **interviews,** a-t-on donné la parole aux mêmes personnes ? disent-elles la même chose ?

4.A.7. PASSER D'UN MÉDIA À UN AUTRE

Descriptif

Demander aux élèves de **réaliser un Journal radio à partir** du visionnement d'un **Journal télévisé.**

▷ **Documents**

Journal télévisé. Enregistrement de la bande sonore du JT sur une cassette audio.

▷ **Contenu pédagogique**

Caractériser des personnes.
Situer de façon complexe dans le temps, l'espace.
Répéter, paraphraser des énoncés. (Discours rapporté.)

▷ **Préparation**

L'enseignant enregistrera sur une cassette audio **la bande sonore du JT** *pour que les élèves puissent retravailler, grâce à elle, les passages où le message verbal domine.*

▷ **Déroulement**

La classe est divisée en groupes.
— Pour le premier visionnement, chaque groupe a pour consigne de **repérer les principales informations.**
— Lors du deuxième visionnement, le groupe doit **être attentif à l'organisation**

du JT (titres, développements, interviews, reportages : voir 4.A.a) et au nombre de locuteurs.
Le travail est alors réparti au sein du groupe :
A sera présentateur, B reporter, C personne interviewée, etc.
A aura surtout à répéter/paraphraser ce que disait le présentateur vedette.
B aura, par contre, à transformer tout ce qui était du domaine de l'image en verbal.
La voix commentaire du JT va donc ici s'enrichir de ce qu'on dira de l'image.
B pourra aussi, à certains moments, rapporter le contenu d'une interview.
C comme A devra répéter/reformuler/paraphraser ce que disait la personne interviewée dans le JT, en rajoutant cependant des informations qui étaient à l'image (si son interview était illustrée).
Une fois les tâches réparties, on procède à un nouveau visionnement pour une dernière fixation.
Les élèves peuvent s'aider de la cassette audio, notamment pour les rôles A et C.
Les élèves, selon le rôle de chacun, **réalisent ensuite leur Journal radio qu'on enregistre sur cassette.**
On compare ensuite les productions de chaque groupe.

4.B La publicité télévisée. Analyse

La publicité télévisée, grâce à l'image mobile, est sans doute plus riche et plus séduisante que la publicité d'affiche ou la publicité radiophonique.
Nombreuses ont déjà été les analyses et les propositions d'exploitation pédagogique des publicités. Nous nous bornerons donc à présenter quelques « outils » qui pourront aider l'enseignant dans l'analyse prépédagogique et le choix des spots publicitaires, avant de proposer quelques activités.

4.B.A. Les constituants du « spot » publicitaire [1]

L'analyse et le choix d'une publicité télévisée supposent que l'on soit en mesure de **repérer les différents constituants** du spot que nous présentons ci-dessous.

a) Le produit : **Traitement du produit par la caméra :**	— présence durant tout le spot, — présence/absence/réapparition, — apparition retardée, — absence totale. — gros plan(s) sur le produit, — plans présentant le produit sous différents angles, — traitements particuliers/effets spéciaux.
b) Le décor :	— décor unique/décors pluriels, — décor réaliste/esthétique/onirique, — rapports du décor avec le produit : logique/étonnant.
c) Les personnages :	— physique/âge/statut social, — rapports entre les personnages, — comportements/importance du non-verbal, — rôles dans le spot : figurants/acteurs.
d) Le traitement cinématographique :	— dessin animé/utilisation d'images fixes... — genre : sketch/reportage/pastiche de film... — plans courts/longs, accélérés/ralentis, — enchaînement logique/déroutant des plans...
e) La bande sonore :	— voix commentaire OFF, — voix IN des personnages, — musique/chansons, — bruitages (réalistes/non réalistes).
f) Le texte écrit à l'écran :	— nom du produit, — slogan.
g) Rapports images/ bande sonore/texte écrit à l'écran :	— redondance, — complémentarité, — amplification/emphase, — contradiction, — ironie, — jeux de mots.

(Il est évident que ces constituants seront présents ou absents selon les documents et pourront, d'autre part, se mêler dans un même spot.)

4.B.B. Les genres de spots télévisés

En visionnant des spots télévisés, on a vite le sentiment que ceux-ci fonctionnent différemment des publicités radiophoniques ou des affiches publicitaires, qu'ils utilisent de différentes façons les constituants évoqués ci-dessus et qu'ils doivent pouvoir être **regroupés par genres.**

Notre corpus (une centaine de spots), nous a permis de repérer **trois grandes catégories** de spots selon qu'ils présentent un produit par :

1) Caractérisation /utilisation
- Présentateur/spécialiste.
- Utilisateur
  - En action.
  - Témoignant.

2) Rapport symbolique
- Le produit comparé à quelque chose.
- La métaphore du produit le remplace.
- Jeux de mots/jeux d'images.

3) Effet de surprise/d'opposition : Produit en contexte inattendu.

1) Dans la première catégorie, la publicité est centrée sur la **caractérisation** du produit, son **utilisation** et ses **effets.**
Les constituants y fonctionnent majoritairement de la façon suivante :
— présence du produit pendant tout le spot,
— décor réaliste,
— voix commentaire et voix IN en redondance avec l'image,
— personnages :

a) Couple
- présentateur qui caractérise le produit.
- utilisateur qui témoigne.

b) Utilisateurs sur fond de *voix commentaire.*
c) Utilisateurs agissant et dialoguant dans une situation de la vie quotidienne.

2) Dans la deuxième catégorie, ce n'est plus le produit seul qui est vanté mais :

a) ce à quoi le prduit est comparé.

La comparaison peut opérer un « déplacement » plus ou moins fort.

— Comparaison classique : « Timotei, doux comme la campagne en été ».

— Comparaison plus audacieuse : « Danone, comme la caresse d'une pluie d'été ».
Apparition retardée du produit. Mise en avant de la comparaison.

b) une métaphore « pure » du produit qui est censée mieux le valoriser.

— Les chaussures « André » n'apparaissent qu'un quart de seconde et laissent place à un symbole de beauté et de modernité.

c) Un jeu de mots, jeu d'images :

3) Dans la troisième catégorie, le produit apparaît :

— à retardement.
— dans un cadre étonnant.
— avec des personnages inattendus.
— avec effets cinématographiques.

Les catégories deux et trois sont de plus en plus fréquentes.
Le spectateur soumis à un flot d'images semble avoir besoin d'être étonné, ce qui expliquerait « la victoire de la pub grand spectacle sur la pub démonstrative, le triomphe de l'imaginaire sur la réalité » (2).

On voit bien les implications pédagogiques de ces constituants et de ces genres.
La première catégorie permettra de travailler la caractérisation d'objets, les formulations linguistiques de l'utilisation, de la cause et de la conséquence (4BI).
Elle permettra aussi de réaliser facilement une bande sonore en redondance avec l'image (4B5).
Dans le cas des **deux autres catégories,** le travail — tout en restant centré sur la caractérisation — sera plus orienté vers le créatif, la formulation d'hypothèses (4B2).
Enfin des activités comme 4B3 et 4B4 tireront leur richesse de la variété des documents présentés.

Références citées :

1. Pour l'analyse et l'exploitation des spots on pourra consulter :
Charolles (M). « Le plaisir du spot ». *Pratiques n° 37.*
Philibert (C.), « Approche sémiologique de la publicité télévisée », *Les Cahiers du CRELEF n° 19.*
2. Séguéla (J.), *L'Événement du jeudi, n° 37,* juillet 1985.

4.B.1. COMMENT C'EST FAIT ? À QUOI ÇA SERT ?

Descriptif

Les élèves visionnent une publicité télévisée sans le son pour **caractériser un objet et son usage** avant de revisionner le document avec le son.

▷ **Documents**

Publicités télévisées centrées sur la caractérisation et l'utilisation du produit (cf. analyse 4.1).

▷ **Contenu pédagogique**

Caractériser un objet selon ses particularités et l'usage que l'on peut en faire. Expression orale/compréhension orale.

▷ **Préparation**

L'enseignant préparera un questionnaire avec une série de questions et des phrases incomplètes à compléter (voir ci-après un modèle qui peut servir pour beaucoup de documents de ce type).

▷ **Déroulement**

a) **Après le premier visionnement** sans le son, les élèves sont invités à **répondre oralement** ou par écrit **au questionnaire.**
Les élèves ne répondent pas à toutes les questions et ne complètent pas toutes les phrases. Ils le font seulement pour celles qui leur semblent convenir au document. En fonction de leurs réponses, ils peuvent aussi réaliser la bande sonore et imaginer le slogan.

b) **Lors du deuxième visionnement** (images et son), ils confrontent leurs réponses et leur projet de bande sonore à la bande sonore originale : dit-elle la même chose ? De la même façon ? D'une façon différente ? Apporte-t-elle d'autres informations ?, etc.

▷ **Questionnaire**

Vous devez remplacer X par le nom du produit.

A. Caractérisation :
— *Donnez cinq qualificatifs caractérisant le produit (taille, couleur, etc.).*
Gardez-en deux qui, à votre avis, peuvent être dans la bande sonore.
— X contient du, de ....
— X à base de ....
— X + le nom générique du produit et sa composition ....
   Ex. : X, le yaourt au bon goût de fruits.

B. Utilisation :
Mettez l'accent sur la/les raisons d'utiliser le produit.
— on utilise X parce que ....
— on utilise X (en tel lieu) ....
— on utilise X quand .... (« quand » à valeur de temps ou à valeur causale).

C. Résultats
Mettez l'accent sur l'effet du produit.
— on utilise X pour que ....
— on utilise X pour ....
— grâce à X ....
— avec X ....
— X, ça ....
[N.B. : Vous remplacerez « utiliser » par le verbe qui convient le mieux.]

A) Zest contient des extraits de citron.
Zest, le savon à la mousse pétillante.
Zest, le savon de l'énergie.
B) On utilise Zest, au réveil, quand on n'a pas les idées claires.
C) Avec Zest, on retrouve son tonus.
Zest, ça rafraîchit,
    ça réveille,
    ça met en forme.

A) Dermaspray, à base d'alcool.
Dermaspray, la solution des petites blessures.
B) On utilise Dermaspray quand on s'est fait mal, quand on s'est blessé.
C) Dermaspray, ça désinfecte et ça soulage.

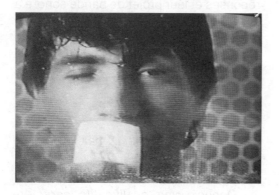

Descriptif

On invitera les élèves à **faire des hypothèses** sur un produit à partir de certaines publicités télévisées « qui retardent » l'apparition du produit à l'écran.

▷ **Documents**

Publicités métaphores, publicités pastiches de films.

▷ **Contenu pédagogique**

Décrire, raconter, caractériser une situation.
Faire des hypothèses sur la caractérisation d'un produit.

▷ **Déroulement**

La classe est divisée en groupes.
On visionne le spot **en arrêtant la bande avant l'apparition du produit.**
Chaque groupe a été prévenu, avant le visionnement, qu'il doit essayer de deviner de quel type de produit il s'agit.
Chaque groupe fait part de **trois hypothèses** qu'il justifie.
On consigne toutes les hypothèses au tableau avant de visionner la fin de la publicité.

▷ **Variante**

Avant le visionnement d'un spot sur le produit X, (spot du type 2 ou 3 : voir analyse 4.B.B), on présente aux élèves le produit X, ses caractéristiques et on leur demande d'**imaginer le canevas du spot** qui jouera sur une comparaison insolite, une métaphore étonnante avec apparition à retardement.
On consigne les différentes propositions de canevas et on les compare au spot original que l'on visionne.

▷ **Exemple**

— Une pianiste en robe longue regarde amoureusement le chef d'orchestre.
Va-et-vient de la caméra, de la pianiste au chef. Musique classique.
— Hypothèses des élèves allant de la HI-FI au parfum de femme.
— Une cuisinière Arthur Martin apparaît en fait à la fin du spot, précédée de la voix commentaire de la pianiste : « Ce soir, je vais le faire craquer... le petit gigot qui est en train de cuire... ».

111

> **Descriptif**
>
> En visionnant une série de publicités télévisées, les élèves doivent porter leur attention sur **les personnages** et les **décrire**.

▷ **Documents**

Montage de publicités.

▷ **Contenu pédagogique**

Caractériser des personnes : physique, âge, métier, comportements.
Rapporter ce que dit quelqu'un.
Comparer.

▷ **Préparation**

Si l'enseignant fait le montage de publicités lui-même, il aura intérêt à **choisir des documents dans lesquels les rôles des personnages varient** *(voir analyse 4.B.A,ac).*
Pour la variante, il regroupera des publicités présentant des produits appartenant à de mêmes catégories (voitures, parfums, etc.).

▷ **Déroulement**

1re formule
Pour le visionnement d'une seule publicité, **on divise la classe en quatre groupes correspondant aux quatre rubriques du questionnaire** ci-dessous.

Après deux visionnements, chaque groupe fait part de ses réponses qui sont consignées au tableau.
Un troisième visionnement permet de vérifier ensemble si les réponses de chaque groupe sont correctes.
On continue ensuite avec d'autres publicités.
2e formule (pour un niveau plus avancé)
Chaque groupe reçoit le même questionnaire et en prend connaissance avant le visionnement.

Lors du premier visionnement, on arrête après chaque séquence pour que chaque groupe ait le temps de prendre des notes. Deuxième visionnement sans pauses.
Ensuite, chaque groupe donne ses réponses et l'on analyse en commun les différences, les similitudes.

▷ **Variante**

Avec un montage comportant plusieurs publicités présentant des produits de mêmes catégories (voitures, cigarettes, etc.). On divise la classe en autant de groupes qu'il y a de publicités. Le groupe 1 s'occupe de la publicité 1, etc. On pourra **amener à une analyse de type socioculturel** sur les stéréotypes : physique, sexe, milieu social dominant dans un type de publicité.

▷ **Questionnaire sur les personnages**

a) *Identité/caractéristiques :*
— Âge ?
— Physique ?
— Habillement ?
— Signes particuliers ?
— Attitudes ?
— Catégorie sociale ?

b) *Rôle des personnages dans la publicité :*
— Figurant ?
— Présentateur ?
— Utilisateur ?
— Autres rôles ?

c) *Personnages et actions :*
— Actions principales du personnage ?
— Rapports avec le produit ?

d) *Personnages et bande sonore :*
— Personnages muets ?
— Personnages parlant à l'écran ?
— Personnages entendus en voix OFF ?
— Voix OFF commentaire ?
— Rôle du discours qu'ils tiennent ?

Dans le cas de séquences où apparaissent plusieurs personnages, les élèves auront intérêt à les numéroter selon leur ordre d'apparition à l'écran.

Descriptif

Les publicités cherchant à séduire et à convaincre, on demandera aux élèves de **choisir dans un montage les publicités qu'ils préfèrent** et d'expliquer leur choix.

▷ **Documents**

Montage de publicités variées.

▷ **Contenu pédagogique**

Comparer. Exprimer la supériorité.
Justifier ses goûts en caractérisant le jeu des personnages, les images, un discours et son illustration.

▷ **Préparation**

*Si l'enseignant n'utilise pas un montage déjà existant, il aura intérêt à **choisir des publicités très différentes** (caractérisation/métaphore/effet de surprise. Voir analyse 4.B.B).*

▷ **Déroulement**

1re formule
On peut demander aux élèves de **choisir** dans le montage, la publicité qu'ils préfèrent.

Ils devront **donner leurs raisons.** Les raisons de chacun seront ensuite inscrites au tableau pour que l'on puisse mettre à jour et analyser les différents critères de choix.

2e formule
On peut donner aux élèves, avant le visionnement, des critères qui leur permettront d'**établir un palmarès :** la publicité la mieux mise en scène, la mieux jouée, etc.
Quelques critères : Mise en scène « impact »/Publicité convaincante / Humour / Esthétique / Jeu des acteurs, innovation.

▷ **Variante**

Classer des publicités.
On pourra demander aux élèves, après le visionnement d'une suite de publicités, de classer ces publicités selon des critères qu'ils choisiront eux-mêmes.
En dehors de l'intérêt linguistique, cette activité aura des prolongements socio-culturels évidents : étude à travers certaines constantes, de stéréotypes, de clichés, etc.

4.B.5. QUAND LE SON VIENT AUX IMAGES

┌─ **Descriptif** ─────────────────────────

Les élèves sont invités à **produire un contenu pour la bande sonore,** à partir du spot visionné sans le son.

▷ **Documents**

Publicités centrées surtout sur la caractérisation, l'utilisation ou un système de comparaison.

▷ **Contenu pédagogique**

Caractériser, formuler des appréciations, comparer, conseiller, évoquer un changement d'état, exprimer la cause/la conséquence.

▷ **Préparation**

Choisir des publicités de la 1re et de la 2e catégorie (voir analyse 4.B.B).
*À la différence des fiches 3.D.2 et 3.D.3 qui suggéraient la production de dialogues et de voix commentaires variables selon le type de documents, on profitera ici de structures de **spots** très marquées et **qui induisent fortement le linguistique** qui va accompagner les images.*

*Pour le choix des spots on peut **se reporter au tableau** de la page suivante.*

▷ **Déroulement**

Les **élèves visionnent** le spot à deux reprises.
Ils sont ensuite invités à mettre dans la **colonne de gauche** (images), les **éléments visuels** (personnages, actions, enchaînements) qui vont à leur avis « dicter » des **contenus linguistiques** correspondants qu'ils noteront dans la **colonne de droite.**
On pourra comparer ensuite à la bande son originale.

TYPES DE SPOTS SUR LESQUELS ON TRAVAILLERA

	IMAGES	FORMULATIONS LINGUISTIQUES
a) **Exposé pseudo-scientifique / témoignage.**	Présentateur en blouse blanche montrant le produit. Témoin utilisant le produit.	«Regardez bien/Vous voyez...» + caractérisation du produit. Commentaires appréciatifs.
b) **Résolution d'un problème/Change-ment d'état.**	Objet ne marchant «pas bien» + Intervention du produit = Nouvelles performances de l'objet.	Expression de l'antériorité, phrases négatives. Rapport de conséquence. Expression du nouvel état, phrases positives.
c) **Choix d'un mauvais/bon produit.**	Effet nocif d'un produit (émail rayé, etc.) + Intervention du nouveau produit = Nouvel effet positif.	Expression de la mise en garde (cause + conséquence négative) Opposition: «mais par contre...». Expression de la satisfaction (cause + conséquence positive).
d) **Comparaison.**	Produit + Ce à quoi il est comparé	«X (nom du produit) est...» + qualificatifs positifs + comme ...

4.C L'interview. Analyse

Si l'on se réfère à notre typologie des rapports entre le canal sonore et le canal-images (2.3), on sera tenté dans un premier temps de classer les interviews dans la catégorie 4 « Le message sonore dominant ».

L'interview paraît se caractériser, en effet, par la prépondérance du canal sonore, et l'on pourrait se demander, à juste titre, si pour ce type de document la vidéo est plus utile aux élèves qu'un simple enregistrement sonore.

En fait, une analyse détaillée des différents types d'interviews permet de beaucoup nuancer cette première impression et de mettre à jour la richesse de ces documents.

Nous distinguerons trois principaux types d'interviews : l'interview autonome, l'interview en contexte et l'interview mosaïque.

4.C.a. L'interview autonome

Elle occupe toute une émission et met en présence une personne interviewée et un ou plusieurs « interviewers » :
— Comme exemples d'interviews **avec un seul « interviewer »,** on peut citer les anciennes émissions de P. Dumayet ou encore les « Apostrophes » consacrées à un seul écrivain (Albert Cohen, Marguerite Duras).
— Les interviews **à plusieurs « interviewers »** sont plutôt des émissions politiques du type « Face à la presse », « L'heure de vérité ». Une personnalité politique y répond aux questions de plusieurs journalistes.
Le contenu de ces interviews varie d'un genre à l'autre.

— Dans le premier cas, un dialogue peut s'instaurer entre interviewer et interviewé, alors que dans le second cas, il s'agira plus d'un « va-et-vient » questions/réponses...
— Dans les deux cas, l'interview a généralement lieu en studio et le canal-images ne contient rien d'autre que les acteurs de l'interview.

Cela ne veut pas dire pour autant que l'image soit, dans ce cas, inutile.
— D'un côté, en effet, l'**image va livrer des informations** sur le physique, l'habillement de la personne interviewée... Ces informations pourront être mises en rapport avec certains éléments linguistiques, comme les registres de langue, les accents...
— D'un autre côté, tous les éléments non verbaux livrés par l'image vont permettre d'étudier les rapports entre le non-verbal et le discours (voir 3.C.1).

4.C.b. L'interview « en contexte »

L'interview en contexte n'est plus, comme la précédente, un « tout », mais fait partie d'un « tout ».

Il s'agit, en effet, d'**interviews qui sont insérées dans un reportage** de Journal télévisé ou **dans un magazine** d'information ou encore **dans un documentaire,** et qui ont donc un contexte d'images et de bande sonore.
Des images, des commentaires précèdent et suivent l'interview et viennent donc éclairer le thème et le rôle de l'interview.
De plus, l'interview n'a plus lieu en studio, mais dans un lieu qui peut entretenir des rapports avec le contenu et la fonction de l'interview.

4.C.c. L'interview « mosaïque »

L'interview que nous appellerons « mosaïque » est un document homogène (ou formant un tout) consacré à une personnalité culturelle, scientifique et dans lequel les parties d'**interviews** proprement dites sont **accompagnées de différents types d'images** illustrant la vie, l'œuvre, les recherches de la personnalité interviewée.

Comme dans l'interview en contexte, il s'opère donc un va-et-vient entre ce que dit la personne interviewée et ce que nous montrent les images.
Les images peuvent entretenir un rapport de redondance, de complémentarité ou d'ordre plus associatif et symbolique avec les propos de la personne interviewée.
Les parties images de l'interview peuvent quelquefois être accompagnées de la voix de la personne interviewée qui continue à répondre à une question ou qui commente les images.

En ce qui concerne les activités pédagogiques, on trouvera en 3.C.1 quelques indications permettant de travailler l'interview autonome, tandis que les deux fiches qui suivent, 4.C.1 et 4.C.2, permettront de travailler respectivement les interviews « mosaïque » et les interviews « en contexte ».

4.C.1. L'INTERVIEW « MOSAÏQUE »

Descriptif

Pour une interview « mosaïque » consacrée à un artiste, il s'agit pour les élèves de **mettre en rapport le discours** que l'artiste tient sur son œuvre **et des images** de cette œuvre.

▷ **Documents**

Interviews télévisées. Magazines artistiques présentant l'interview d'un artiste parlant de son œuvre et des images de cette œuvre.

Pour des artistes connus (peintre, dessinateur de bande dessinée...), on peut proposer aux élèves des documents (reproduction de tableau, planche de bande dessinée, photo d'une réalisation architecturale, etc.).

▷ **Contenu pédagogique**

Caractériser et porter une appréciation sur des langages artistiques : images, dessins, formes, etc.

Compréhension orale de l'interview préparée par la tâche précédente.

Confronter son point de vue à celui de la personne interviewée.

Porter un jugement sur quelqu'un grâce à des indices non verbaux.

▷ **Déroulement**

— Avant le visionnement du document vidéo, **on montre aux élèves un document** (diapositive, photo, photocopie) **représentant une réalisation de l'artiste.**

Ils doivent alors **caractériser et apprécier,** selon les cas : dessin, couleur, formes, etc.

On met au tableau les apports des élèves.

— Lors du premier visionnement, ils doivent à nouveau **être attentifs aux extraits de l'œuvre** qui sont présentés dans le document.

On complète les premières remarques inscrites au tableau.

— Lors du deuxième visionnement, les élèves doivent **noter ce que l'interviewé dit de son œuvre** en termes de caractérisation et d'appréciation.

On confronte ensuite ce qui avait été consigné au tableau et les propos tenus par l'interviewé.

▷ **Exemple**

PORTRAIT DE CLAIRE BRETECHER.

1ʳᵉ phase : **Distribuer aux élèves la planche :** *les Mères* et leur demander de caractériser le dessin et le type de langue. Classer leurs apports en deux colonnes au tableau : dessin/langue.

2ᵉ phase : **Visionner l'interview**
Demander aux élèves d'être attentifs pendant le visionnement :
— aux dessins (pour pouvoir continuer l'appréciation de la 1ʳᵉ phase) ;
— à ce que l'interviewer et l'interviewée disent :
- du dessin,
- de la langue des BD de Cl. Brétécher pour pouvoir comparer aux éléments portés dans les deux colonnes lors de la 1ʳᵉ phase.
Signaler, d'autre part, aux élèves qu'après le visionnement ils auront à donner trois qualificatifs caractérisant Cl. Brétécher dans son attitude à travers l'interview.

3ᵉ phase : **Prolongement de l'activité en sous-groupes.**
Chaque groupe reçoit une planche différente de bande dessinée (Hergé, Reiser, Tardi, Druillet) et examine les dessins et le message linguistique.
Ensuite, le groupe se scinde en deux sous-groupes.
Le premier sous-groupe prépare une interview, l'autre sous-groupe jouera le rôle de l'interviewé.
On pourra repasser le document vidéo Brétécher si les élèves souhaitent réobserver les modalités linguistiques de l'interview susceptibles d'être réemployées dans leur travail.

4.C.2. ANALYSER DIFFÉRENTES INTERVIEWS

Descriptif

En visionnant différentes interviews, les élèves doivent **caractériser les personnes** interviewées, **le contenu des interviews** et leur rôle dans le document.

▷ **Documents**

On distinguera des documents « homogènes » comme les documentaires, les reportages qui portent sur un seul thème et présentent différentes interviews relatives à ce thème, des documents « hétérogènes » comme le Journal télévisé ou les magazines d'information qui pourront comporter, dans des reportages, des interviews consacrées à différents thèmes.

▷ **Contenu pédagogique**

Caractériser une personne (identité, physique, attitude), des événements.
Caractériser un type de discours.
Rapporter le discours d'autrui.
Expliquer, justifier.

▷ **Déroulement**

1re formule : On répartit la classe en autant de groupes qu'il y a d'interviews dans le document.
Le groupe 1 analysera l'interview 1, etc., grâce aux rubriques qu'on aura retenues **dans la grille d'analyse présentée ci-dessous.**

2e formule : On répartit la classe en autant de groupes qu'il y a de rubriques dans la grille.

▷ **Grille d'analyse**

1) *Travail sur l'identité de « l'interviewé »*
— comment apprend-on cette identité ?
  - par le présentateur ?
  - par l'interviewer ?
  - par l'interviewé ?
  - par une voix commentaire ?
— de quel type d'interviewé s'agit-il ?
  - personnalité politique/artistique ?
  - homme de la rue ?
  - spécialiste du problème ?

2) *Travail sur la caractérisation physique*
— âge approximatif,
— physique.

3) *Travail sur le non-verbal*
— attitude générale : tendue/détendue, naturelle/composée ;
— autres éléments pertinents (cf. 3.C.1).

4) *Travail sur l'intonation, le débit.*

5) *Thème de l'interview :*
— (document hétérogène) : vie politique/culturelle/fait divers, etc. ;
— (document homogène) : rapports entre le thème général du document et le thème de l'interview : images précédant, suivant l'interview et éclairant son thème.

6) *Travail sur le type de discours :*
— déclaration/témoignage/explications/expression du point de vue ;
— comment le reste du document aide à cerner le type de discours :
Un reportage sur un accident peut, par exemple, induire : déclaration officielle + explication de spécialiste + témoignages.

7) *Travail sur le cadre de l'interviewé :*
— rapports entre le cadre et le thème de l'interview ?
— rapports entre le cadre et la personnalité de l'interviewé ?

INFORMATIONS
TECHNIQUES

5

INFORMATIONS TECHNIQUES

5.1. LES STANDARDS

Les différents pays du monde n'ont pas tous le même type de codage couleur vidéo qu'on appelle standard.
On distingue ainsi **trois types principaux de standards :** SECAM, PAL, NTSC.
Ces différences de standards peuvent soit gêner soit rendre impossible la lecture d'un document vidéo produit pour un standard et lu sur un appareil prévu pour un autre standard. Ainsi, l'enseignant qui veut utiliser un document SECAM dans un pays de diffusion PAL, verra que le document perdra la couleur à la lecture.
On peut cependant remédier à ces désavantages :
— en utilisant un magnétoscope multistandard qui permet de lire les différents standards ;
— en achetant directement un document dans le standard convenable pour son magnétoscope ; (La France, équipée en SECAM, vend des documents PAL.)
— en faisant transcoder dans un laboratoire le document grâce à un appareil qui permet, au moment de la copie, de passer d'un standard à un autre.

5.2. LES FORMATS

De même qu'il existe différents systèmes de couleur, il existe différents formats de vidéocassettes et de magnétoscopes qui les lisent.
Dans la classe, on utilisera surtout **trois formats non professionnels** (1/2 pouce) :
— le format VHS (le plus courant) ;
— le format BETAMAX ;
— le format VIDEO 2000 (rare),
et un format SEMI-PROFESSIONNEL (3/4 pouce) :
— l'UMATIC.

Comme pour les standards, l'enseignant peut résoudre les problèmes liés au format :
— en achetant directement la cassette dans le format qu'il utilise habituellement ;
— en faisant recopier par un laboratoire, la cassette dans le format qui lui convient.

5.3. LES APPAREILS

5.3.a. Les branchements

Le magnétoscope peut être branché sur un téléviseur normal ou sur un moniteur (écran vidéo qui ne peut pas recevoir des émissions télévisées).
Pour raccorder le magnétoscope au téléviseur, on peut se servir :
a) de la sortie antenne du magnétoscope reliée à l'entrée antenne du téléviseur ;
b) des sorties et entrées vidéo/audio ;
c) de la prise du magnétoscope raccordée à la péritélévision du récepteur TV.

5.3.b. Les fonctions de l'appareil

Les magnétoscopes récents disposent d'un certain nombre de commandes, précieuses sur le plan pédagogique.
— *Les touches de recherche rapide* (en avant ou en arrière) permettent de retrouver rapidement une séquence que l'on veut étudier, ainsi que de revenir rapidement au début d'une séquence pour le deuxième visionnement.

Sur certains magnétoscopes, cette recherche rapide peut se faire en gardant l'image à l'écran, ce qui simplifie encore la recherche.

— *La touche « pause »* (ou « arrêt momentané ») permet de « geler » l'image, c'est-à-dire d'arrêter le défilement de la bande, en gardant l'image à l'écran. Nous avons vu que beaucoup d'activités utilisaient cette possibilité.

— *La touche « ralenti »* permet de lire la bande à vitesse lente, ce qui est précieux aussi pour beaucoup d'activités, notamment dans les phases de contrôle à la fin d'une activité.

— *La touche d'avance image par image* permet de visionner la bande image par image, ce qui offre des possibilités encore plus grandes d'observation des détails que le ralenti.

— *La commande à distance* permet enfin à un élève, un enseignant ou un groupe de « contrôler » plus facilement le magnétoscope.

5.4. LES MONTAGES

L'enseignant peut avoir à réaliser des montages, notamment à partir de documents télévisés « repiqués ».

Il peut faire ces montages par « assemblage » ou par « insertion ». Dans les deux cas, il faut relier deux magnétoscopes de standard identique (si l'on veut garder la couleur), mais pas forcément de même format, en repérant les séquences sur un téléviseur.

— **Pour le montage par « assemblage »,** c'est-à-dire mise bout à bout de plans, de scènes ou de séquences sur une cassette vierge à partir de différents enregistrements il faut :

— Connecter les deux magnétoscopes en vidéo.
On branche la sortie vidéo du magnétoscope lecteur sur l'entrée vidéo du magnétoscope enregistreur et l'on relie les entrées et sorties son des deux magnétoscopes.

— On met le magnétoscope enregistreur sur position enregistrement, puis pause, et l'on libère la pause chaque fois qu'apparaît à l'écran une séquence de la cassette lectrice qu'on veut enregistrer.

— Pour contrôler l'enregistrement-montage, on a intérêt à avoir un deuxième téléviseur que l'on connectera à la sortie antenne du magnétoscope enregistreur.

— **Dans le montage par « insertion »,** il s'agit de remplacer sur un document vidéo une ou plusieurs séquences par insertion d'autres séquences.

Le magnétoscope doit comporter une touche « insertion » qui permette d'effacer une partie du document et de la remplacer par autre chose.

Pour les branchements, on procédera comme précédemment.

5.5. LES DOUBLAGES SONORES

La touche « dubling audio » permet de remplacer complètement ou partiellement la bande originale par des dialogues ou des commentaires réalisés par les élèves.

Ces dialogues ou commentaires peuvent être enregistrés directement avec un micro que l'on branche à l'entrée « MIC » du magnétoscope, ou avoir été enregistrés précédemment sur magnétophone et l'on fait alors entrer le son en appuyant sur la touche « AUX ».

5.6. ANOMALIES À L'IMAGE

Quelques anomalies courantes :

a) **À l'horizontale :**
— Quand les images sont dédoublées horizontalement, le problème vient de l'antenne.
— Lorsqu'il y a des traits rouges à l'horizontale, il faut faire défiler la bande plusieurs fois à grande vitesse pour la dépoussiérer.

b) **À la verticale :**
— Une ondulation de l'image à la verticale vient d'un mauvais bobinage. Il faut faire défiler la bande plusieurs fois à grande vitesse.
Il peut aussi s'agir d'un mauvais réglage du « tracking ».

c) **Grain de l'image :**
— Si l'image est parcourue de points blancs de dimensions différentes, c'est que votre bande est usée.
— Lorsque les « têtes » de lecture du magnétoscope sont encrassées, l'image est envahie de « neige ».
— Lorsque les images sont marquées de points brillants, en haut et en bas de l'écran, il faut régler le « tracking ».

DROITS D'AUTEUR

— Les lois de mars 1957 et de juillet 1985, sur la propriété audiovisuelle, n'autorisent les visionnements de repiquages de la télévision ou de cassettes vendues dans le commerce, que **dans le cadre familial.**
Toute autre projection, même gratuite, **est interdite.**

L'utilisation de trois minutes de nouvelles et des dialogues est par contre libre de droits.

Pour les autres documents (extraits de films, émissions de télévision), il convient de s'adresser au producteur-diffuseur du document.

— Les documents pédagogiques acquis peuvent être projetés dans le cadre d'un établissement scolaire, mais ne peuvent pas être recopiés.

— **Certains documents** diffusés par les services culturels français peuvent être **libres de droits.**

— Un atelier du Conseil de l'Europe, consacré à « L'utilisation du cinéma dans l'enseignement des langues vivantes », et qui s'est tenu du 20 au 25 octobre 1985 au CIEP de Sèvres, a attiré l'attention des autorités du Conseil de l'Europe et des ministères de la Culture et de l'Éducation sur la « nécessité et l'urgence qu'il y a à adopter une réglementation définitive concernant la libre reproduction, à des fins strictement pédagogiques, dans le cadre des établissements scolaires et avec un but non lucratif de matériaux » comme « les bandes sonores de films, les extraits de films et d'émissions de télévision, les extraits de scripts de films, etc. ».

6

GLOSSAIRE

ACCÉLÉRÉ :

Truquage cinématographique qui consiste à projeter à vitesse normale des images prises à une vitesse inférieure. Les dessins animés et films publicitaires utilisent souvent l'accéléré.
— *En vidéo :* augmentation de la vitesse de défilement de la bande magnétique.

ALTERNÉ :

Voir Montage.

ANALOGIE ICONIQUE :

Degré de « ressemblance » par rapport à la réalité.
Il y a des images plus analogiques (Journal télévisé, documentaire, documents pédagogiques) que d'autres (publicités, vidéoclips).
Si elle favorise la lisibilité d'un document, il ne faut cependant pas oublier que l'analogie varie selon les cultures et que, d'autre part, toute image est polysémique.
On pourra aussi retenir l'opposition image contraignante/image ouverte. L'image contraignante induit un nombre limité de lectures et d'interprétations contrairement à l'image ouverte.

ANGLE DE PRISE DE VUE :

C'est le champ visuel enregistré par la caméra qui varie notamment selon la place de la caméra par rapport à l'objet filmé.
Il y a :

— *Angle normal de prise de vue* lorsque la caméra est en face de l'objet filmé.

— *Plongée* lorsque la caméra est au-dessus de l'objet filmé.

— *Contre-plongée* lorsque la caméra est au-dessous.

ANTENNE :

Peut se rapporter à l'émission en cours de diffusion : « prendre l'antenne, rendre l'antenne ».

BANDE-ANNONCE :

Extraits de film qui servent à sa présentation.

BANDE-IMAGES :

Pellicule photographique (cinéma) ou bande magnétique (vidéo) sur lesquelles sont enregistrées les images.
Par extension : contenu des images. Synonyme de « canal-images ».

BANDE SON :

Pellicule optique (cinéma) ou bande magnétique (vidéo) sur laquelle sont rassemblés les sons.
Par extension : contenu de la bande sonore : dialogues, monologues, bruits, musique. Synonyme de « canal sonore ».

BRUITAGE :

Effets sonores qui accompagnent la bande-images.

CADRAGE :

Le cadrage comprend les limites du champ retenu par la caméra (voir Angles de prise de vue et Échelles de plans) et l'organisation interne du champ : place des personnages, des objets.

CANAL :

Bande de fréquence que l'on attribue à un émetteur vidéo pour qu'il diffuse ses émissions.

CHAMP :

C'est l'espace retenu par la caméra et tel qu'il apparaît à l'écran.
— Le *champ/contrechamp* consiste à cadrer alternativement deux personnages qui dialoguent.
— La *profondeur de champ* permet d'obtenir une image aussi nette au premier qu'à l'arrière-plan.
— Le *hors champ* est tout ce qui n'est pas cadré par la caméra mais ressenti comme entourant le champ (soit parce qu'on l'a déjà vu, soit parce qu'on le suppose).

CODES :

On distingue les codes spécifiques des codes non spécifiques. (Voir 2.1.)

CONTINUITÉ :

Plan de travail, entre le scénario et le découpage, dans lequel on décrit pour chaque séquence l'action, le comportement des personnages et les grands traits du dialogue.

COURT MÉTRAGE :

Film qui ne dépasse pas trente minutes et qui peut être narratif, de fiction, documentaire ou publicitaire.

DÉCOUPAGE :

Chaque scène est divisée en plans et pour chaque plan sont indiqués les éléments artistiques et techniques : durée du plan/échelle/cadrage ; jeux des acteurs ; costumes, etc.

DIÉGÈSE :

Tout ce qui appartient à l'histoire racontée, à la fiction du film.

DIALOGUES :

On distinguera les dialogues authentiques (interviews, entretiens télévisés) des dialogues fabriqués (films de fiction, documents pédagogiques).
Dans les films de fiction, on pourra avoir une gamme assez large de dialogues, allant de dialogues très littéraires à des dialogues presque « authentiques », dans le cinéma du « réel ».
On pourra étudier les rapports entre dialogues et images, dialogues et personnages et aussi la fonction des dialogues.

DIRECT :

Émission de télévision transmise sans enregistrement préalable. Contraire du « différé ».

DOCUMENTAIRE :

Terme général désignant les films qui ne s'organisent pas autour d'une fiction mais d'un thème à traiter, d'un pays à présenter, etc.
Dans le documentaire, l'image est souvent accompagnée d'une « voix commentaire » qui souligne (redondance) ou précise (complémentarité) le message des images.

DRAMATIQUE :

Pièce de théâtre, roman ou récit adaptés pour la télévision.

ÉCHELLES DE PLANS :

« La caméra se veut semblable à l'œil humain qui, tantôt embrasse tout un ensemble, tantôt saisit un détail. » *Baticle.*
Pour la définition des différentes échelles de plans, voir chapitre 2, pages 24-25.

EFFETS SPÉCIAUX :

Systèmes électroniques produisant des effets spéciaux en vidéo, notamment dans les vidéoclips, les publicités, la vidéo de recherche.

ELLIPSE :

Il y a très souvent entre les scènes, les séquences, des ellipses par rapport à ce que serait la chronologie en continu du récit.
Le plan séquence est sans ellipses temporelles, de même que certains directs de la télévision.

ÉMISSION :

Moment où se fait la transmission d'un message par la télévision.
Par extension, contenu et genre de spectacles : documentaire, variétés.

FEUILLETON :

Film de fiction de la télévision conçu pour être présenté en plusieurs épisodes.

FICTION :

On regroupe sous ce terme, qui désigne le fait que le spectateur suit une histoire, des émissions télévisées comme : les films de fiction, les téléfilms, les feuilletons, les séries.

FILMS DE FICTION :

Films qui racontent une histoire fictive.

GÉNÉRIQUE :

Liste des personnes ayant participé à la réalisation d'un film.
Certains génériques peuvent apparaître après quelques séquences ou encore à la fin d'un document.

HISTOIRE :

Ensemble des événements narrés, à distinguer du récit qui est la façon dont ces événements sont rapportés.

IMAGE MOBILE :

Encore appelée image animée ou image mouvante, c'est l'image de télévision et de cinéma par opposition à l'image fixe.

INDICATIF :

Musique au début d'une émission et qui sert à l'identifier.

INFORMATION :

Terme générique qui désigne toutes les émissions consacrées aux actualités : Journaux télévisés, magazines, débats, reportages.

INTERLUDE :

Court documentaire généralement sans voix commentaire et qui occupe un espace entre deux émissions.

INTERTITRE :

Texte inséré dans l'image.

MONITEUR :

Écran vidéo qui n'a pas de tuner et ne peut donc pas servir de téléviseur.

MONTAGE :

Voir 2.3.5.

MOUVEMENTS D'APPAREIL :

La caméra peut restituer le mouvement de différentes façons, soit en pivotant autour de son pied : panoramique, soit en se déplaçant : travelling.

— Le *panoramique* peut être horizontal ou vertical.
— Le *travelling* peut être AVANT : la caméra se rapproche alors peu à peu de l'objet filmé ; ARRIÈRE : la caméra s'éloigne ; LATÉRAL : la caméra se déplace alors que l'objet reste immobile ; d'ACCOMPAGNEMENT : la caméra suit un personnage qui se déplace.

MULTISTANDARD :

Matériel qui peut lire et enregistrer les différents standards.

MUSIQUE :

La musique peut correspondre à une source musicale vue à l'écran (musique in) ou être extérieure à cette image (musique off).
Elle est souvent très liée à des genres cinématographiques ou à des types d'émissions.
Elle peut remplir différents rôles : dramatique, ironique, etc.

OFF :

Ce mot étant l'abréviation de l'anglais « off screen », désigne quelquefois le hors champ (voir Champ), mais la plupart du temps, il est employé pour le son. Le son off est le son dont la source n'est pas représentée à l'écran.
On peut ainsi avoir des bruits off, une musique off, la voix d'un personnage off ou encore une voix commentaire off.

PÉRITÉLÉVISION :

Le téléviseur muni d'une prise « Peritel » peut servir à brancher un magnétoscope, des jeux électroniques, un micro-ordinateur.

PISTE :

La bande magnétique est divisée en deux pistes sur lesquelles s'effectue l'enregistrement : la piste audio et la piste vidéo.

PLAN :

Le plan est le plus petit segment du film.

RACCORD :

Liaison entre deux plans. Il peut y avoir raccord sur les gestes, le regard, etc.

RÉALISATEUR :

Responsable de la réalisation d'un film ou d'une émission. C'est lui qui dirige les techniciens et les acteurs et signe la mise en scène.

REDONDANCE :

Cas où le message de la bande sonore redouble celui délivré par les images.

REPIQUAGE :

Enregistrement d'une émission de télévision sur un magnétoscope.

REPORTAGE :

Plus lié à l'actualité et plus évènementiel que le documentaire, le reportage assuré par un « correspondant » ou un « envoyé spécial », fait le point à travers récit, interviews, témoignages sur une nouvelle importante.

SATELLITES :

On distingue :
— les satellites de communication qui, depuis 1965, permettent de recevoir des images venues de très loin ;
— les satellites de diffusion directe qui retransmettent les émissions des pays voisins (satellites français et francophones : TDF1 et TD5).

SCÉNARIO :

Exposé en quelques dizaines de pages des situations d'un film.
Il convient de distinguer le scénario, du synopsis plus court et de la continuité ou du découpage beaucoup plus détaillés (voir ces mots).

SCÈNE :

Fragment cinématographique constitué d'une suite de plans et qui suppose l'unité de lieu, de temps et les mêmes personnages.

SEGMENT :

Se dit d'un extrait cinématographique qui n'a pas encore été caractérisé comme plan, scène ou séquence.

SÉQUENCE :

La séquence est une suite de plans qui forment un ensemble autour d'une unité de scénario, d'une unité d'intrigue ou autour d'un sujet thématique cohérent.
Le plan séquence est un plan sans ellipses et comparable à une séquence.

SÉRIE :

Pour la télévision, mot synonyme de feuilleton.

STANDARD :

Classification des différents codages couleur vidéo : SECAM, PAL, NTSC.

SYNOPSIS :

Résumé des grandes lignes du sujet d'un film en quelques pages.

TÉLÉCINÉMA :

Système permettant de recopier des films ou des diapositives sur vidéocassettes.

TÉLÉFILM :

Film réalisé pour la télévision.

VARIÉTÉS :

Émissions de télévision comprenant de la chanson, de la danse, de la musique et animées par un présentateur qui reçoit des invités.

VIDÉOGRAMME :

Se dit de tout programme vidéo.

VOIX COMMENTAIRE (OFF) :

Texte accompagnant des images.

ZOOM :

Objectif qui permet de changer le cadrage sans mouvement de caméra.

7

CARNET
D'ADRESSES

— *ANTENNE 2,* 5, avenue de Villard, 75007 Paris ; tél. : 47-05-56-26.
« Une semaine en France », magazine vidéo comprenant des actualités d'Antenne 2, des variétés et diverses émissions.
Certains services culturels français sont abonnés à ce magazine.

— *CENTRE AUDIOVISUEL SIMONE-DE-BEAUVOIR,* 7, rue François-de-Pressensé, 75014 Paris ; tél. : 45-42-21-43.
Location de vidéocassettes (art et création, civilisation).

— *CENTRE GEORGES POMPIDOU.* Département audiovisuel, 75191 Paris Cedex 04 ; tél. : 42-77-12-33.
Location de vidéocassettes (culture, sciences, technique).

— *CNDP* (Centre national de documentation pédagogique), 29, rue d'Ulm, Paris Cedex 05.

Pour la France, met à la disposition des enseignants, à travers les Centres régionaux de documentation pédagogique, des émissions de télévision et des documents pédagogiques, disponibles en vidéocassettes.
Pour l'étranger, vend des vidéocassettes (VHS et BETAMAX, PAL et SECAM) reprenant des émissions de télévision produites par le CNDP et la télévision. Catalogue sur demande : français, langue étrangère. Sélection de documents authentiques en vidéocassettes.

— *CNRS* (Centre national de la recherche scientifique). Audiovisuel, 27, rue Paul-Bert, 94204 Ivry-sur-Seine ; tél. : 46-70-11-52.
Location de vidéocassettes (culture, sciences).

— *FÉDÉRATION DU CINÉMA ÉDUCATIF,* 27, rue de Poissy, 75005 Paris ; tél. : 46-33-80-34.
Location de vidéocassettes (langues, civilisation).

— *INTERMÉDIA,* organisme du ministère des Relations extérieures, 19, rue de Passy, 75016 Paris ; tél. : 42-24-68-23.
Produit, coproduit et diffuse pour les Centres culturels français à l'étranger des vidéocassettes (culture, sciences et technique).

— *MINISTÈRE DES RELATIONS EXTÉRIEURES, DGRCST,* division de la documentation audiovisuelle.
« *Aujourd'hui en France* », magazine disponible dans les Services culturels français à l'étranger. Deux émissions mensuelles de treize minutes chacune et composées de trois ou quatre séquences sur l'actualité, le sport, l'économie (VHS, PAL ou SECAM). Les cassettes sont accompagnées d'un court descriptif et de la transcription de la bande sonore.

Les Services culturels disposent aussi d'un magazine intitulé « *Vivre en français* » (production aujourd'hui arrêtée) et qui reprend certaines émissions de « *Aujourd'hui en France* » dans une visée plus pédagogique. Livret d'accompagnement, avec transcription et pistes pédagogiques. Vingt-deux cassettes disponibles.

— *O.A.V.U.P.* (Office audiovisuel de l'université de Poitiers), 95, avenue Léon-Pineau, 86022 Poitiers ; tél. : (16) 46-46-12-46.
Location et prêt de vidéocassettes à des organismes pédagogiques (pédagogie, civilisation).

— *VIDÉO CINÉ TROC,* 15, passage de la Main-d'Or, 75011 Paris ; tél. : 48-06-55-00.
Location de vidéocassettes.

Un certain nombre de grandes sociétés publiques et privées peuvent, d'autre part, prêter des vidéocassettes (remboursement des frais de port).

Un certain nombre de Centres d'enseignement secondaire, de formation ou de recherche, ont réalisé des vidéocassettes dans le cadre d'activités audiovisuelles. Prendre contact pour tout renseignement.

□ **SECTEUR PUBLIC**

— *CENTRE NATIONAL D'ÉTUDES SPATIALES*, 129, rue de l'Université, 75007 Paris ;
tél. : 45-55-91-21.

— *CINÉMATHÈQUE EDF-SODEL*, 68, rue du Faubourg-Saint-Honoré, 75001 Paris ;
tél. : 47-64-22-22.

— *PTT*, Service cinéma, 56, rue Cler, 75007 Paris ; tél. : 45-66-23-45.

— *RATP*, Service des relations extérieures, 53, quai des Grands-Augustins, 75271 Paris, Cedex 06 ; tél. : 43-46-43-96.

— *SNCF*, Service cinéma, 9, quai de Seine, 93407 Saint-Ouen ; tél. : 42-57-13-60.

□ **SECTEUR PRIVÉ**

— *CEDFI* (Organisme centralisateur de films d'entreprise), 15 *bis*, rue Raspail, 92300 Levallois-Perret ; tél. : 47-39-50-20.

— *CINÉMATHÈQUE DES ENTREPRISES*, 15 *bis*, rue de Marignan, 75008 Paris ;
tél. : 43-59-69-40.
Catalogue gratuit sur demande.

— *FLF, cinémathèque, direction relations extérieures, service audiovisuel*, 7, rue Nélaton, 75739 Paris ; tél. : 45-71-72-73.

— *BELC*, 9, rue Lhomond, 75005 Paris ;
tél. : 47-07-42-73.
« Réseau vidéo correspondance ». Il ne s'agit pas d'un service de prêt, mais d'un réseau d'échanges de productions vidéo.

— *CDDP* (Centre départemental de documentation pédagogique), 14, rue de la Juiverie, 49000 Angers ; tél. : (16) 41-66-91-31.

— *CDDP*, 12, avenue du Père-Coudrin, 48000 Mende ; tél. : (16) 66-65-10-32.

— *CRDP*, (Centre régional de documentation pédagogique), 6, rue Sainte-Catherine, 86000 Poitiers ;
tél. : (16) 49-88-11-70.

— *COLLÈGE JEAN-LURÇAT*, 27, square de Provence, 95470 Fosses.

— *COLLÈGE ROMAIN-ROLLAND*, rue de Reims, 93290, Tremblay-lès-Gonesse ;
tél. : 48-60-63-44.

— *COLLÈGE VAUTRIN-LUD*, avenue de la Tuilerie, 88100 Saint-Dié ; tél. : (16) 20-56-26-00.

— *LYCÉE CORNEILLE*, 4, rue de Maulévrier, 76044 Rouen Cedex ; tél. : (16) 35-89-28-28.

— *LYCÉE LÉONARD-DE-VINCI*, ville nouvelle de l'Isle-Abeau, boulevard de Villefontaine, BP 47, 38090 Villefontaine ;
tél. : (16) 76-96-44-55.

— *MARLY-LE-ROI/VPJ*, 11, rue de Willy-Blumenthal, 78160 Marly-le-Roi ;
tél. : 39-58-05-57.

— *MÉDIA FORMATION*, École normale d'instituteurs,
10, rue Molitor, 75016 Paris ;
tél. : 45-24-46-00.

— *ANTENNE 2,* 22, avenue Montaigne, 75008 Paris ; tél. : 42-99-42-42.

— *CANAL PLUS,* 78, rue Olivier-de-Serres, 75015 Paris ; tél. : 45-33-74-74.

— *CARREFOUR INTERNATIONAL DE LA COMMUNICATION,* 31, rue Delarivière-Lefoullon, La Défense, 92800 Puteaux ; tél. : 47-74-51-31.

— *CIDJ* (Centre d'information et de documentation jeunesse), 101, quai Branly, 75015 Paris, Cedex 15 ; tél. : 45-66-40-20.

— *CIRTEF* (Conseil international des radios télévisions d'expression française), 20, quai Ernest-Ansermet, CP 234, 1211 Genève, Suisse.

— *CNCA* (Conseil national de la communication audiovisuelle), 69, rue de Varenne, 75007 Paris ; tél. : 45-56-80-00.

— *CTF* (Communauté des télévisions francophones), 20, quai Ernest-Ansermet, 1211 Genève, Suisse.

— *FILM ET VIE,* 24, rue de Milan, 75009 Paris ; tél. : 48-74-79-41.

— *FR 3,* 5, avenue du Recteur-Poincaré, 75782 Paris, Cedex 16 ; tél. : 42-30-22-22.

— *INA* (Institut national de la communication audiovisuelle), 193-197, rue de Bercy, 75012 Paris ; tél. : 43-55-44-84.

— *SFP* (Société française de production et de création audiovisuelles), 36, rue des Alouettes, 75019 Paris ; tél. : 42-03-99-04.

— *TDF* (Télé diffusion de France), 21-27, rue Barbès, 92120 Montrouge ; tél. : 46-57-11-15.

— *TF 1,* 13, rue Cognacq-Jay, 75007 Paris ; tél. : 45-55-35-35.

— **ÉDITEURS FRANÇAIS** ayant produit des vidéocassettes de français langue étrangère.)

— *CLE INTERNATIONAL* 79, avenue Denfert-Rochereau, 75014 Paris ; tél. : 43-29-33-99.

— *HACHETTE* 79, boulevard Saint-Germain, 75006 Paris ; tél. : 46-34-86-34.

— *HATIER* 8, rue d'Assas, 75006 Paris ; tél. : 45-44-38-38.

— *LAROUSSE* 17, rue de Montparnasse, 75006 Paris ; tél. : 45-44-38-17.

8

REPÈRES
BIBLIOGRAPHIQUES

ANALYSE FILMIQUE

Baticle (Y.R.) : « Clés et codes du cinéma », Magnard Université, 1973.

Betton (G.) : « Esthétique du cinéma », PUF, Que sais-je ?, 1983.

Chevassu (F.) : « L'Expression cinématographique : les éléments du film et leurs fonctions », L'Herminier, 1977.

Esthétique du film (Collectif), Nathan Arts, 1983.

Lectures du film (Collectif), Albatros, 1980.

Lotman (I.), « Esthétique et sémiotique du cinéma », Éd. Sociales, 1977.

Metz (C.), « Essais sur la signification au cinéma », 2 tomes, Klincksieck, 1972.

Metz (C.), « Langage et cinéma », Éd. Albatros, 1977.

ANALYSE D'IMAGES EN LIAISON AVEC UNE PROBLÉMATIQUE PÉDAGOGIQUE

Albert (M.-C.), Bérard-Lavenne (E.), « Documents télévisés et apprentissage linguistique », Le Français dans le Monde n° 157, nov.-déc. 1980.

Compte (C.), « La Parole aux images », Le Français dans le Monde n° 180, 1983.

Compte (C.), Mouchon (J.), « Décoder le Journal télévisé », Média FLE, BELC, 1984.

Jacquinot (G.), « Image et pédagogie. Analyse sémiologique du film à intention didactique », Presses Universitaires de France, 1977.

Lafond (J.-D.), « Le Film sous influence », Collection Médiathèque, 1982.

Lebel (P.), « Audiovisuel et pédagogie », Éd. ESF, 1984.

Malandain (J.-L.), « Le Document brut aléatoire : cinéma, TV », BELC, 1982.

Marino (I.), « La Mise en situation analogique ou la vidéo à un niveau avancé », Le Français dans le Monde n° 168, 1982.

Margerie (C. de), Porcher (L.), « Des médias dans les cours de langue ».

Martin (M.), « Sémiologie de l'image et pédagogie », Presses Universitaires de France, Collect. Pédagogie Aujourd'hui, 1982.

Tardy (M.), « Le Professeur et les images », Presses Universitaires de France, Coll. L'Éducateur, 1973.

Vanoye (F.), « Récit écrit, récit filmique », Collect. Textes et non-textes, Cedic, 1979.

BROCHURES. NUMÉROS SPÉCIAUX DE REVUES

Brunn (J.-J.), Lancien (T.), « Le cinéma non didactique dans la classe de langue », BELC, 1982.

Cahiers du Cinéma, n° spécial Télévision, 1981.

CNDP, « Les dossiers du petit écran », 1981.

Communications 7, « Radio, télé », Seuil, 1966.

Communications 15, « L'analyse des images », Seuil, 1970.

Communications 33, « Apprendre des médias », Seuil, 1981.

Communications 38, « Énonciation et cinéma », Seuil, 1983.

CRELEF (Cahiers du) n° 19, « Petit écran et tableau noir », Université de Besançon, nov. 1984.

Études de linguistique appliquée n° 38, « La télévision non scolaire », Didier, 1980.

Études de linguistique appliquée n° 58, « Vidéo, didactique et communication », Didier, 1985.

Langue française n° 24, « Audiovisuel et enseignement du français », Larousse, 1974.

Le français aujourd'hui n° 52, « Les médias saisissent l'école », déc. 1980.

Le français dans le Monde n° 173, « Culture des médias », Hachette-Larousse, nov.-déc. 1982.

Pratiques n° 18-19, « Arrêts sur l'image », 1978.

Pratiques n° 37, « La télévision à l'école », mars 1983.

Repères n° 64, « Langue, images et son en classe », INRP, 1984.

SCÉNARIOS

— L'Avant-Scène cinéma, 27, rue Saint-André-des-Arts, 75006 Paris.
— Points Films, Seuil, Avant-scène.

DOCUMENTS VIDÉO CITÉS

☐ Chapitre 2

— « Les Minichroniques ». L'angoisse. Réalisation J.-M. Coldefy, 1976, TF 1.

— « Entrée Libre 2 », (reportages), Une agence de voyages, CLE, 1985.

— Journal télévisé, 4 novembre 1984, TF 1.

— Vidéoclip L'Air du temps, ministère des Relations extérieures.

— « Avoir sa clé », Série Curriculum 20 ans. Réalisation P. Buquet, CNDP.

— « À bout de souffle », J.-L. Godard, 1960.

— « Avoir sa clé » (voir ci-dessus).

— « À bout de souffle » (voir ci-dessus).

☐ Chapitre 3

3.A.4. : « Entrée Libre 2 », (reportages), Le Centre commercial, CLE.

3.B.1. : Les Chroniques de France. « Aubusson », CLE International.

3.B.2. : « Entrée Libre 2 », (reportages), Une usine à la campagne.

3.B.5. : « Les Minichroniques ». La vie au cinéma (voir ci-dessus).

3.B.8. : « Les Minichroniques ». La vie au cinéma (voir ci-dessus).

3.B.10. : Journal télévisé, 4 novembre 1984, TF 1.

3.B.11. : Journal télévisé, 4 novembre 1984, A2.

3.C.3. : « Les Minichroniques ». Le petit cinéma (voir ci-dessus).

3.D.2. : « Les Minichroniques ». La vie au cinéma (voir ci-dessus).

— « Entrée Libre 2 », (reportages), Un garage de province, Les jeunes et le travail.

3.D.3. : « Aujourd'hui en France », Le Pont empaqueté de Christo, n° 169, ministère des Relations extérieures.

— « Aujourd'hui en France ». Parachutisme, Le vol relatif n° 167.

3.D.8. : Publicité Maxwell.

☐ Chapitre 4

4.A. : Journaux télévisés, 4 novembre 1984, TF 1 et A2.

4 A 2. : Journaux télévisés, 4 novembre 1984, TF 1 et A2.

4.B. : Publicités : Skip, Timotei, Danone, André, Rank Xerox, Loto.

4.B.1. : Publicités : Zest, Dermaspray.

4.B.2. : Publicité : Arthur Martin.

4.C.1. : Portrait de Claire Brétécher, CNDP.

Table des matières

Imprimé en France - Imprimerie Carlo Descamps - 59163 Condé-sur-l'Escaut
N° d'éditeur : 10027984-(VI)-(11,5)-OSBT 80 - Mai 1995 - N° d'imprimeur 220